가족이 되는 방법 1

How to be a family

글 · 그림 모주

Yeondam

가족이 되는 방법 1

초판 1쇄 찍은 날 | 2022년 8월 29일
초판 1쇄 펴낸 날 | 2022년 8월 29일

글 · 그림 | 모주

발행인 | 이진수
펴낸이 | 황현수
책임기획 | 김은서, 코믹제작팀
책임편집 | 홍민지

펴낸곳 | 주식회사 카카오엔터테인먼트
등록번호 | 제2015-000037호
등록일자 | 2010년 8월 16일
주소 | 경기도 성남시 분당구 판교역로 221 6(일부)층

제작 | KW북스
E-mail | design@kwbooks.co.kr

ISBN 979-11-385-8520-0 07810
979-11-385-8519-4 (set)

※ 파본은 구입하신 서점에서 교환하여 드립니다.
※ 저자와 협의하여 인지를 붙이지 않습니다.

Contents

등장인물 소개

신도연(25)

7월 10일생 , 171cm , A형
경영학과 재학 중.

서은하(23)

9월 1일생 , 186cm , O형
영어영문학과 휴학 중.

신영주
도연의 어머니.

서현준
은하의 보호자.

하성훈
도연의 친구.

01화

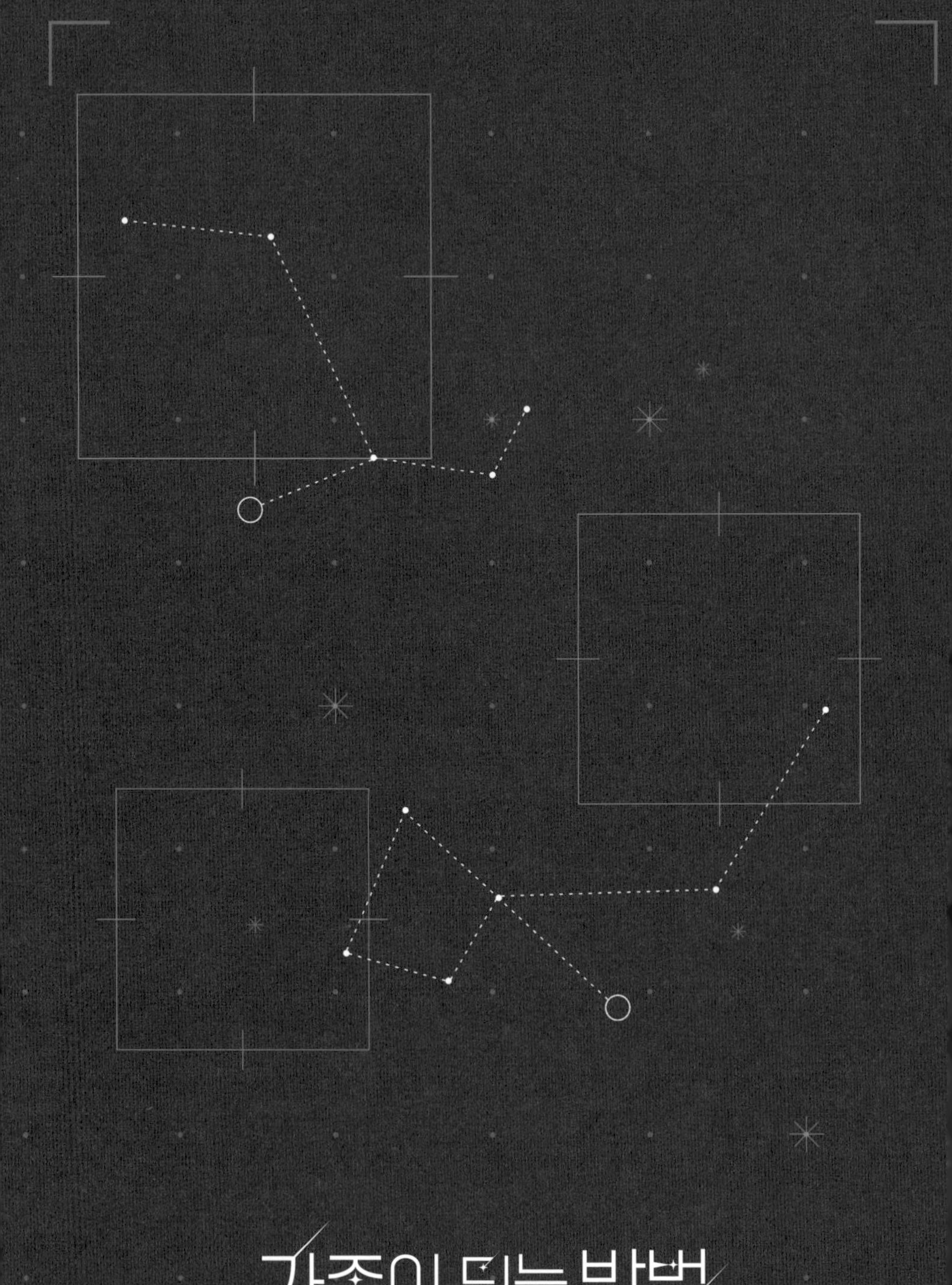

가족이 되는 방법

따르르르링...

따르르링...
따르르링

따르르르
르르르르

텁

여보세요?

내 이름은
신도연.
응, 엄마.
무슨
일이에요?
어…
과제했어.
올해로
25세가 됐다.

뜬금
없지만
별일 없지.
왜요?
무슨 일 있어?
응?
오늘 나에게
닥친 시련에
대해 이야기해
보려고 한다.
뭐라고요…?

은하를
만나야 한다.

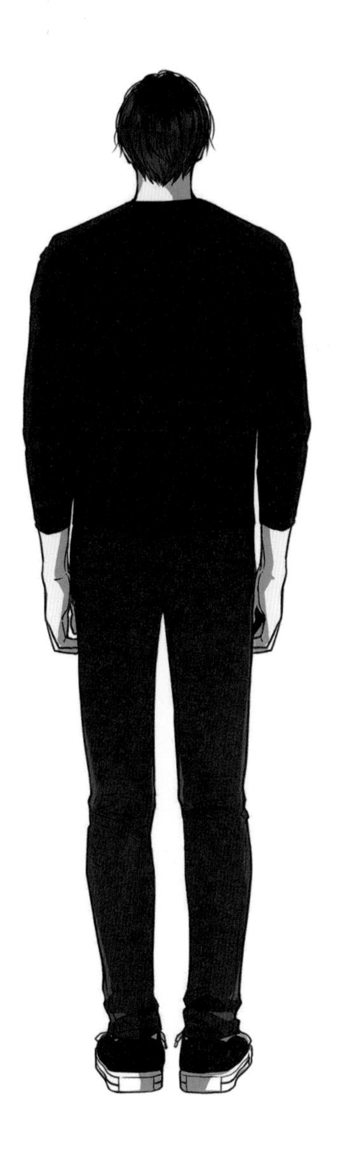

1화

안 되는데.

아….

엄마가
오실 거라서.
미안하다.
아냐,
미안한 건 나지.
갑자기
재워달라 하고.

무슨 일 있어?
어, 그…

뭐라고 설명해야 할지 모르겠다..
……….

그… 집 공사를 해야 해서!
괜찮아, 집에 내려가면 되니까!
공사? 갑자기?
어, 그렇게 됐어.

아, 과제 중이었어? 바쁜데 미안하다.
아냐, 진짜 괜찮아. 학교에서 봐.

12:41
성훈이
05:21
뚝…

꾸욱
Brunch
하아…………….

당장
오는 것도 아닐 텐데
왜 뛰쳐나왔지,
나는….
가… 갑자기,
왜요?

저 개랑 몇 년간
연락 안 해서 엄청…
서먹할 건데….
그게,
은하 아빠가….
잠적했다, 더라.
?!
네?!

은하가 군대 간 사이에
말도 없이 사라졌대.
아니, 집도 없어졌다지
뭐야?
헐…
진짜요……?
대체 무슨 일이
있었던 거지.
그 인간은 어쩜
그리 무책임한지….

아무튼, 복학도 못 하고
알바하면서 고시원을
전전한댄다.
아….
그렇구나.
듣는데 너무
걱정돼서 말이야.
일단 고시원이라도
나오게 하고 싶어서….
그래서,
너 지금 있는 삼촌집
방 많이 남을 테니까
은하랑 같이 지내라고.
어어어엄마,
이렇게
갑자기…?
안 돼
상의 없이
미안하다.
잠시만이라도
있게 해줘.

고시원에
돈 쓰는 것도
아깝잖아.
안 그래도
돈 없을 텐데.
그…렇긴 한데….
그리고
너희 친했었잖니.
이번에
연락 온 것도…
은하가 네 연락처
물어보려고 한 거야.
엄마 눈치 보느라
연락도 못 하고
지냈지?
그게 너무
미안해.
엄마가
왜 미안해요….
은하를
만나는 게 왜
시련이냐고?

지난 수년간
은하의 연락을
피했고
지금도
만나고 싶지
않기 때문이다.
어후…….

은하는…
내 동생이었다.

어머니의
재혼으로 생긴
형제였고
고등학생이라는
서로 어색할
나이에
처음 만났다.

그렇게
가족이 되는
건가 싶었지만

쪼로록

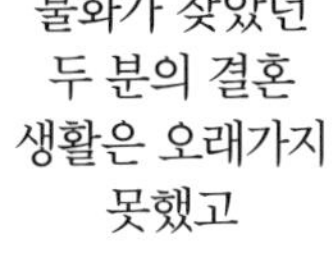
불화가 잦았던
두 분의 결혼
생활은 오래가지
못했고
우리는 다시
남이 되었다.

나와 있어봤자
뭐 하나…
돌아가자.
달각

은하의 아버지는
돼먹지 못한
사람이어서
은하는 그 밑에서
불안하게 살아왔다.
엄마가
은하를 챙겨주려
하는 것도
그 때문이다.

물론 이것들이
은하를 피하는
이유는 아니다.
진짜
이유는….
따르릉-

어, 성훈아.
왜?
아까
공사 얘기 걱정돼서.
진짜 괜찮겠어?
공사?
무슨…
…어, 아!

그니까
통학하기엔 멀잖아.
괜찮다니까?
어… 집에서 통학하면
되고….
사실
공사 한다는 건
거짓말이지만…
내 친구 자취하는데
물어봐 줄까?
아냐!
됐어, 진짜로!

안 갈 수도
있고… 상황 보고
갈 거야.
아냐, 아냐.
넌 진짜 걱정이
너무 많아….

알았어.
아, 나 수업
들어간다.
그래.
그럼 나중에
보자….

…형.

진짜
이유는

은하가
나를 너무

좋아하기
때문이다.
보고 싶었어,
형….

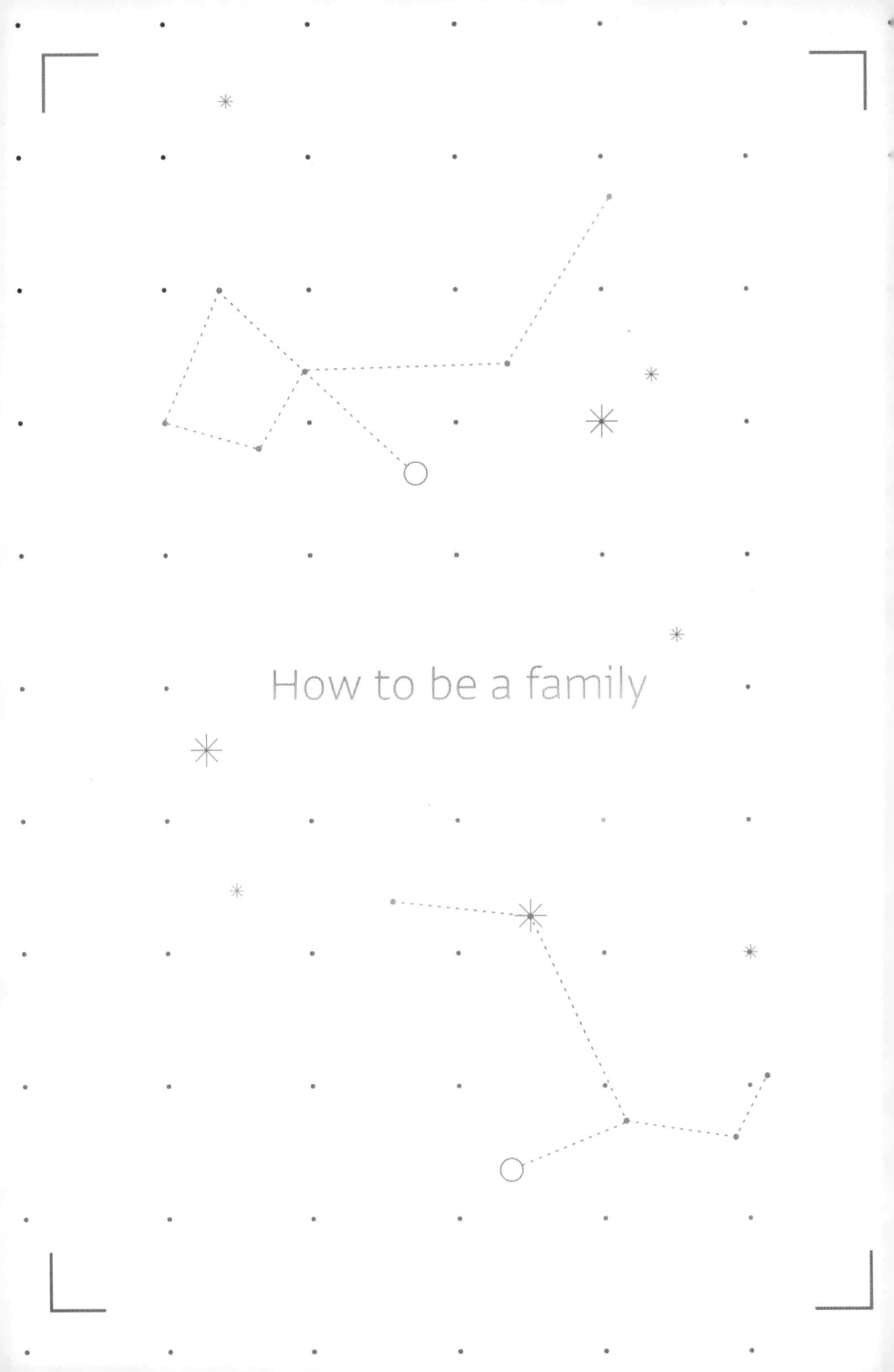

How to be a family

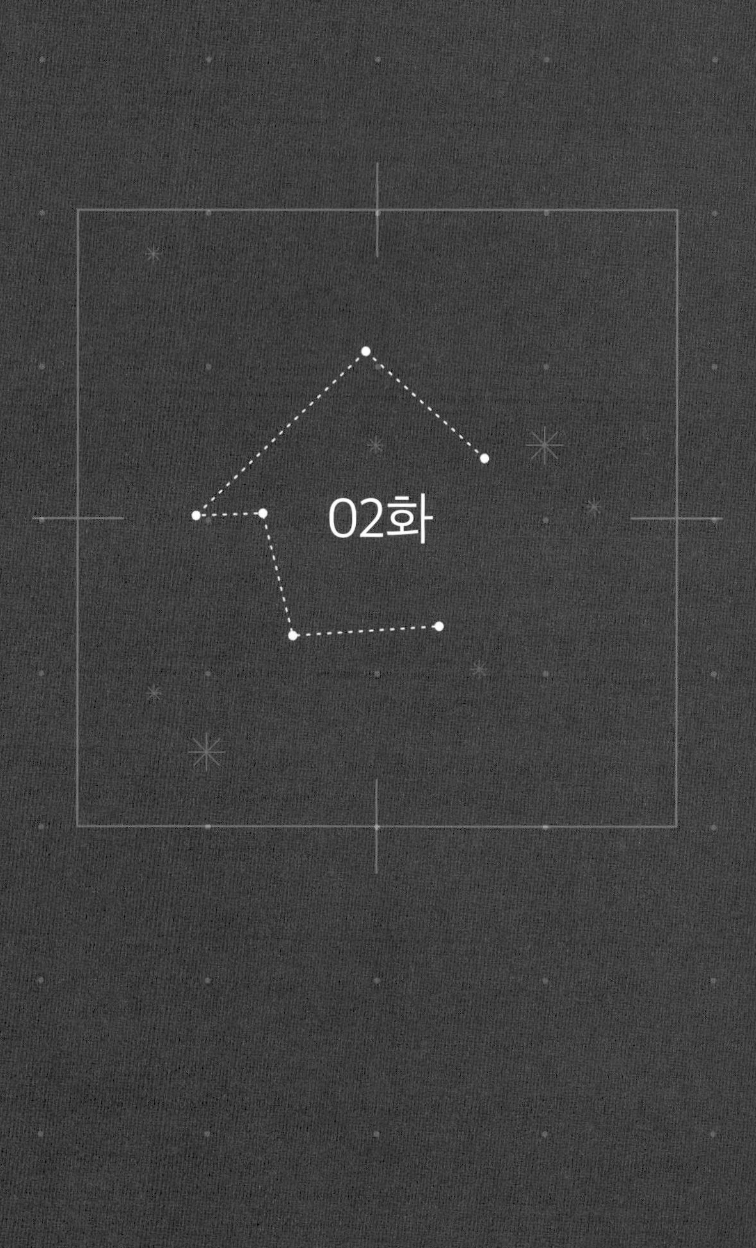

02화

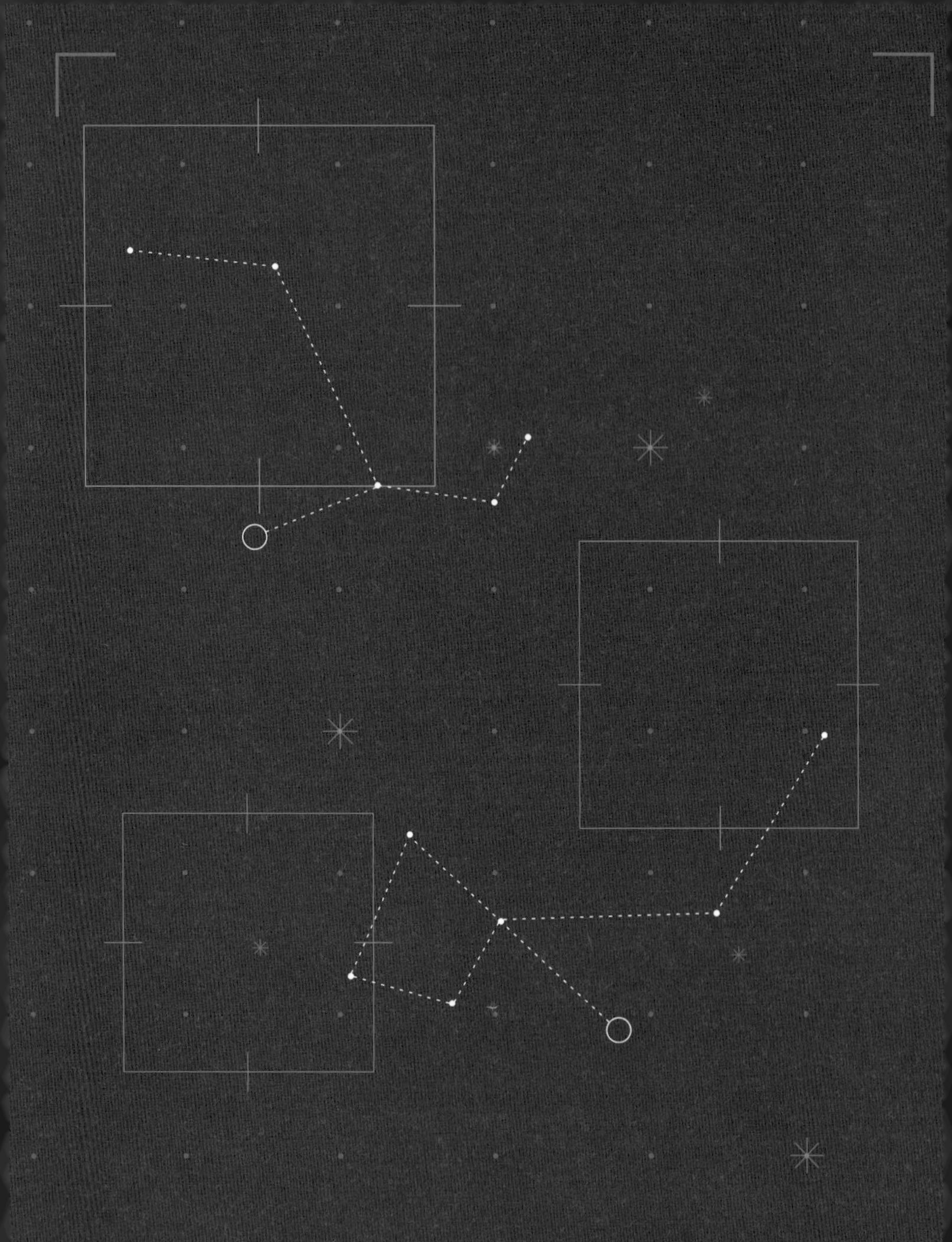

가족이 되는 방법

형.
형이 정말…
너무
보고 싶었어.

너무 많이….

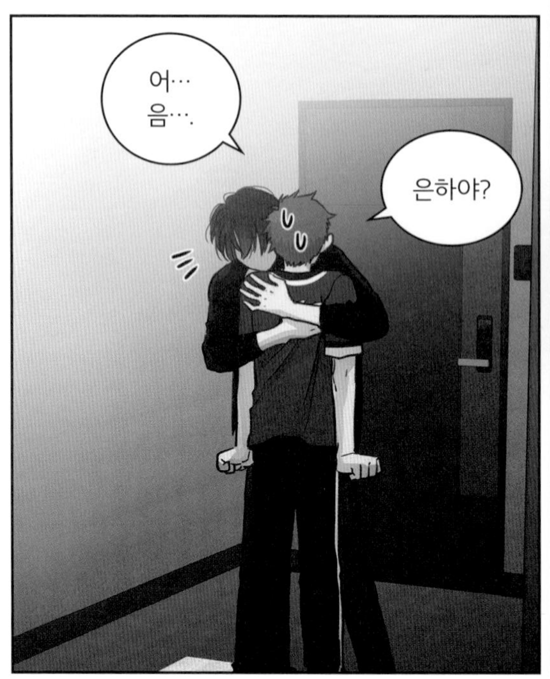
어…
음….
은하야?

그, 어,
미안해.
갑자기
놀랐지.
반가워서 그랬어,
반가워서….
그러니까, 어….

…건강해 보여서
다행이다.
어…
그게….
미안해.
갑자기 이렇게
찾아와서….
그동안
어떻게 지냈어?

…….
서먹…

미안해, 형.
내가 이러는 거
싫어하는 거
아는데…
그냥
너무 오랜만이라
반가워서….

아냐….

일단 들어와.

편히 있어.

…….
응.

조심…

빠아안
……얼굴 뚫리겠다.

커피
괜찮아?
아, 아냐.
내가….
그냥
앉아 있어.
…응.

좀 마른 것
같아….

기운도
없어 보이고.

그동안
얼마나 고생하며
지낸 걸까….
자.
고마워.
잘 마실게….

…아버지 이야기
들었어.

그동안 많이
힘들었지.

아냐,
괜찮아.
걱정하지
않아도.
무슨
소리야.
이렇게 될 걸
제일 걱정했던 건
너였잖아.

화도 안 나?

왜 그렇게
괜찮다고만 해.
속상하게….

좋다.
형이
걱정해주니까….

……어.
화악

좋… 좋긴
뭐가 좋아?
이런 거
가지고….
홱

…형이랑
어머니께 도움을
이렇게 많이 받는데
당연히 좋지.
열심히 일해서
꼭 갚을게.

정말 고마워….
두근 두근
착하고
친절하고
다정하고.
대체
뭐가 문제냐고
생각할 수도
있겠지.

복잡한 사람이다.
하지만
은하는
그것만으론
설명하기 부족한

7년 전.
자, 인사들 해요.

여기는 우리 아들~ 도연이!

…안녕
하세요.
잘 부탁드려요….
하하,
반갑다.
편하게
있어도 돼.

도연이는
올해로 고3
이라며?

이건 고1이니까
친하게 지내주렴.

이건?
안녕하세요.

서은하
라고 해요.
형이라고
불러도 되나요?

어…
네….
응….

둘이 학교도
같다며.
은하도
○○고 맞지?
네.
곧 입학식
이에요.

도연이가
3학년이니까
많이 가르쳐주면
되겠네.
아… 넵…!

은하는
중학생 때 전교 1등
이었다면서요.
오히려 도연이가
배워야 할걸?
1등?

그래봤자
1학년이니까
3학년한테
배워야지.
하지만 은하가
열심히 해주긴
했죠.
덕분에
제가 항상
뿌듯해요.
!

기뻐해주셔서
다행이에요.
앞으로도 열심히
노력하겠습니다.

…….

에고…
재도 엄청 긴장했나 보네.

그래도 착해 보여서 다행이다.
다행이긴 한데….

그날 있었던 일들이 아직도 생생하다.
근사한 레스토랑에서 배우처럼 생긴 두 사람과 웃고 떠들던 모습이.

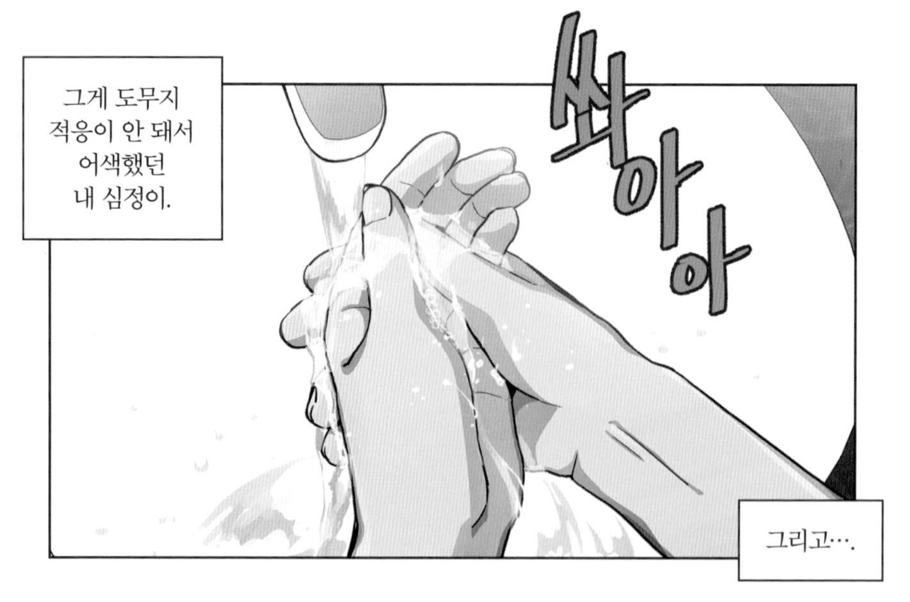
그게 도무지
적응이 안 돼서
어색했던
내 심정이.
쏴아아
그리고….

아… 먹은 거
다 얹히겠네.
좋은 사람들인 것
같긴 한데 왜 이렇게
불편하지….
쏴아아아

아냐, 이런 생각
하지 말자.
잘 지내봐야지.
휴….

저벅
깜짝

아.

어…
그… 식사 다
끝나셨대요?
너도
화장실…?

아,
미치겠다, 진짜.
존대를 해야 할지
반말을 해야 할지.
그리고
난 뭘 묻고 앉았냐.
당연히 화장실 가려고
왔겠지!

스윽

타악

지금…
뭐야?
손바닥
뒤집듯 태도를
바꾸던
은하와의
첫 만남이.

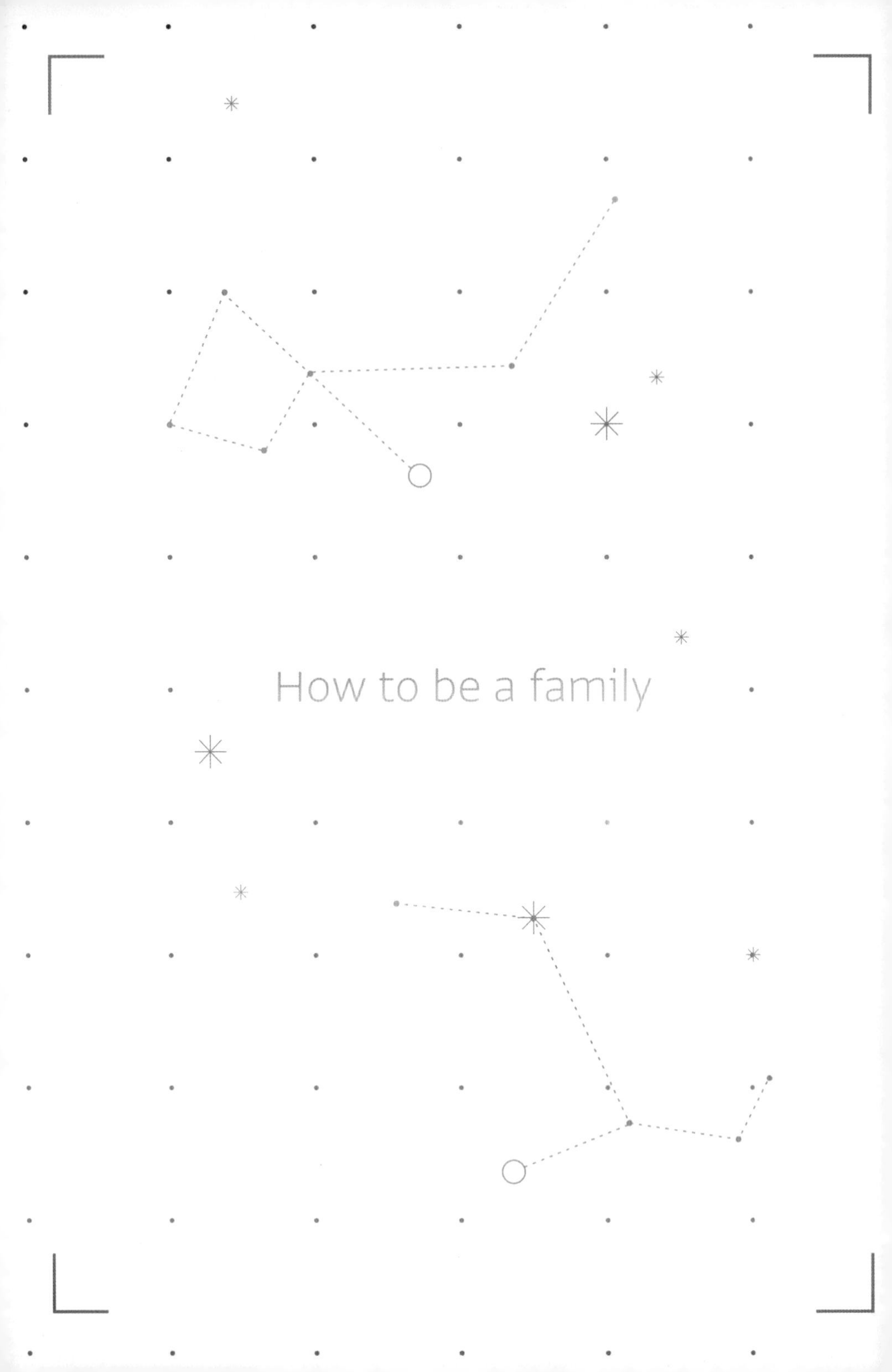

How to be a family

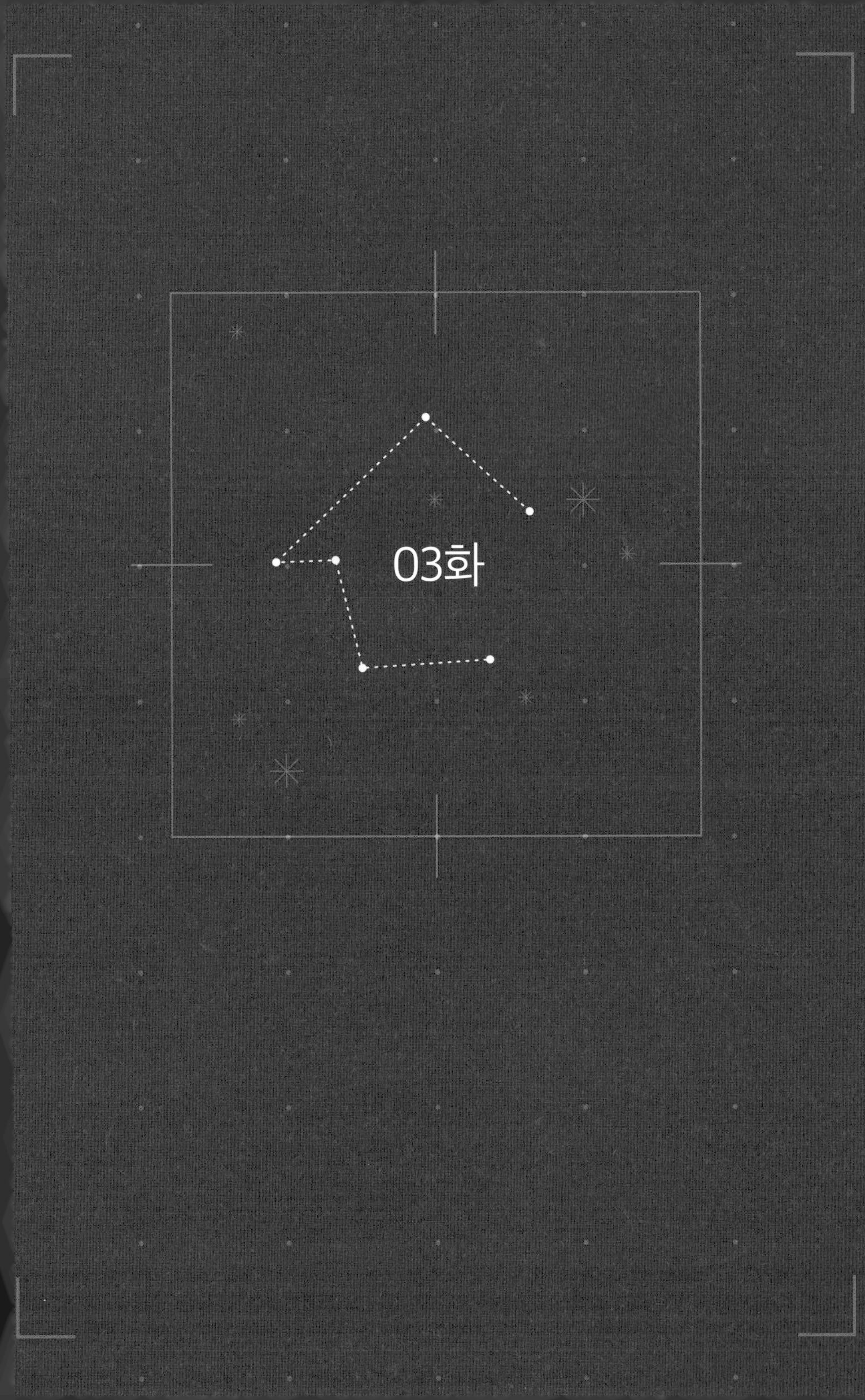

03화

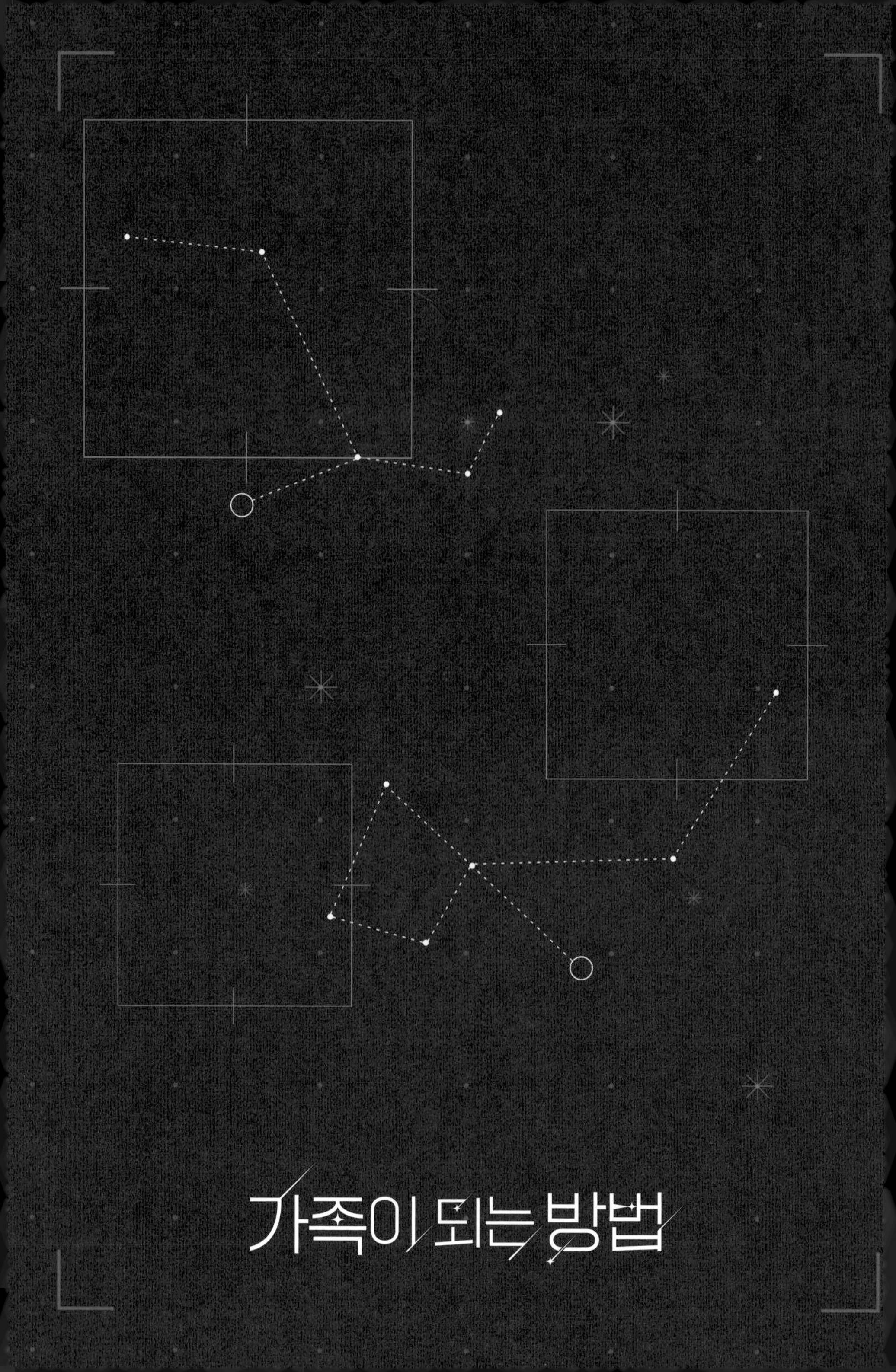
가족이 되는 방법

너 요즘
무슨 일 있어?

야! 패스 해
와글 와글
…왜?
그냥…
그래 보여서?
웅성 웅성
여기!
패스 패스!

그런가?
별일 없는데…
왜 그렇게 보이지….

웃기고 있네.
없긴 뭐가
없냐?
거짓말을
하려면 좀
잘하든가.
뜨끔

…진짜로 아무 일
없으면 다행이고.
그냥 혹시나
힘든 일 있을까 봐.

혼자 끙끙대지 말고
무슨 일 있으면 말해라.
알겠지?

…그래….
하지만…
이걸 대체

3화

그럼 엄마
다녀올게!

오늘은 아마
못 들어올 테니까
문단속 잘하고 있어.
자기 전에
가스 밸브 확인하고,
불 꺼졌나 확인하고.

아, 그렇지.
뒤적

이걸로
둘이 맛있는 거
사 먹어.

고맙습니다.
조심히
잘 다녀오세요.

그래!
아유, 착해라.
고맙다.

그럼
다녀올게,
아들들~!
콰당

음…
뭐 먹을래?

나는 아무거나
다 좋으니까
형이 좋아하는
걸로 시켜.

어…
그럼 짜장면?
좋아.
피자?
치킨은 어때?
좋아.
떡볶이는?
좋아.

…진지하게 좀
골라봐.
정말로
아무거나
다 좋아.

……야.
스윽
그럼 나는….

배달 올 때까지 방에 있을 테니까 오면 불러줘.
할 일이 좀 있거든.
어… 그래.
알았어….

저벅

저벅
저벅
탁악

대체 왜 저래?
처음 만났을 당시, 은하는 어딘가 이상했다.

…그러나
어디가 이상한지
콕 짚어 말할 수
없었다.

태도는
친절한데
왠지 벽을 치는
느낌이 들었고
단둘만 있으면
그게 더 심해졌다.

게다가
처음 만났을 때
봤던
그 차가운
표정….

분명 뭔가
있는 거 같기는
한데
그렇다고
문제 삼을 만한
일이 있는 것도
아니라서
내가
예민한 건가?
하는 생각이 들
무렵….

쐐기를 박는 사건이 일어났다.
이 장조림 어떠니? 좀 짠 거 같은데.
새로 생긴 가게에서 사 왔는데, 영 맛이 별로인 것 같아.

계란말이는 맛있는데요. 어머니가 만드신 거죠?

형, 거기 소금 좀.
어?
아, 어어.

…여기.
고마워!

둘이
무슨 일 있니?

네?
아뇨….
아무 일
없는데요.
그래?
흠.
둘이 분위기가
이상해 보이는데.

싸운 건
아니고?
어…….

내가
너무 티 났나?
어떻게 말해야
하지….
그냥
조금 서먹해요?
아직 안 친해서요?

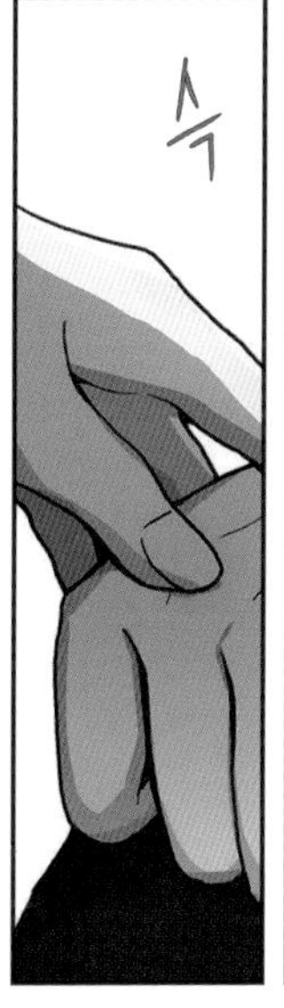
슥

그러게요….

평소랑
좀 다른 것
같다.
형,
어디 안 좋아?
요즘 늦게까지
공부하잖아.

어디 아프면
꼭 말해.
뭐?

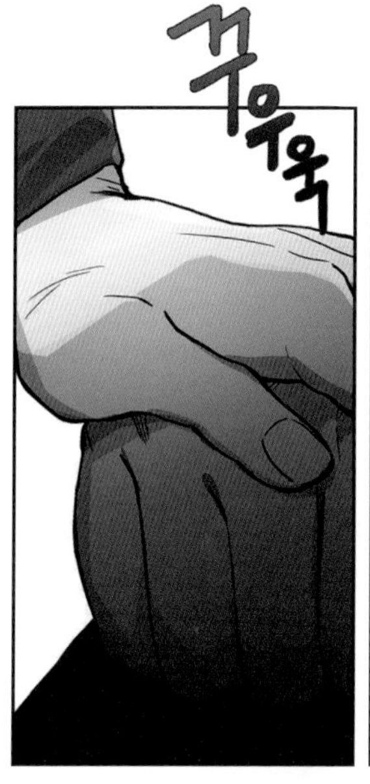
꾸우욱

…….

……어…. 맞아….
사실 좀 피곤해….

뭐라고? 어디가 아픈데.

아니, 아픈 거까진 아니고!
그… 모의고사 때문에 밤을 좀 샜더니….
얘 좀 봐? 무리하다가 더 망쳐.

아프면 바로바로 말해. 알겠지?
내일 보약 지어다 줄 테니 그거 먹고.
네…….

지금 뭐지….
뭐였냐….

협박인가?
경고?
입 다물라는 뜻?
근데 뭐 특별히
말할 만한 일도
없었는데?
진짜로
걱정해준 건데
내가 너무 예민한
건가?

형.
깜짝

들어가도
되지?

…….
……응….

끼익

탁

왜 문까지
닫고….
형.

피차…
어쩔 수 없이
지내야 하는
상황이어도

부모님 앞에서
티는 내지 말아야지.

……어.
……그게….
끼익…

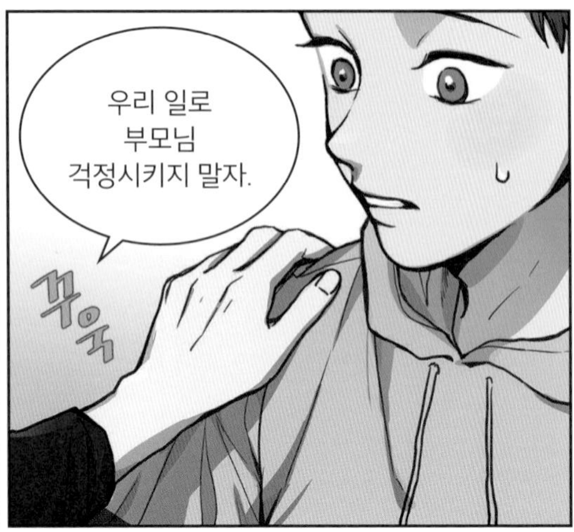
우리 일로
부모님
걱정시키지 말자.
꾸욱

알아들었지?

콰당

……진짜…

뭐야?

How to be a family

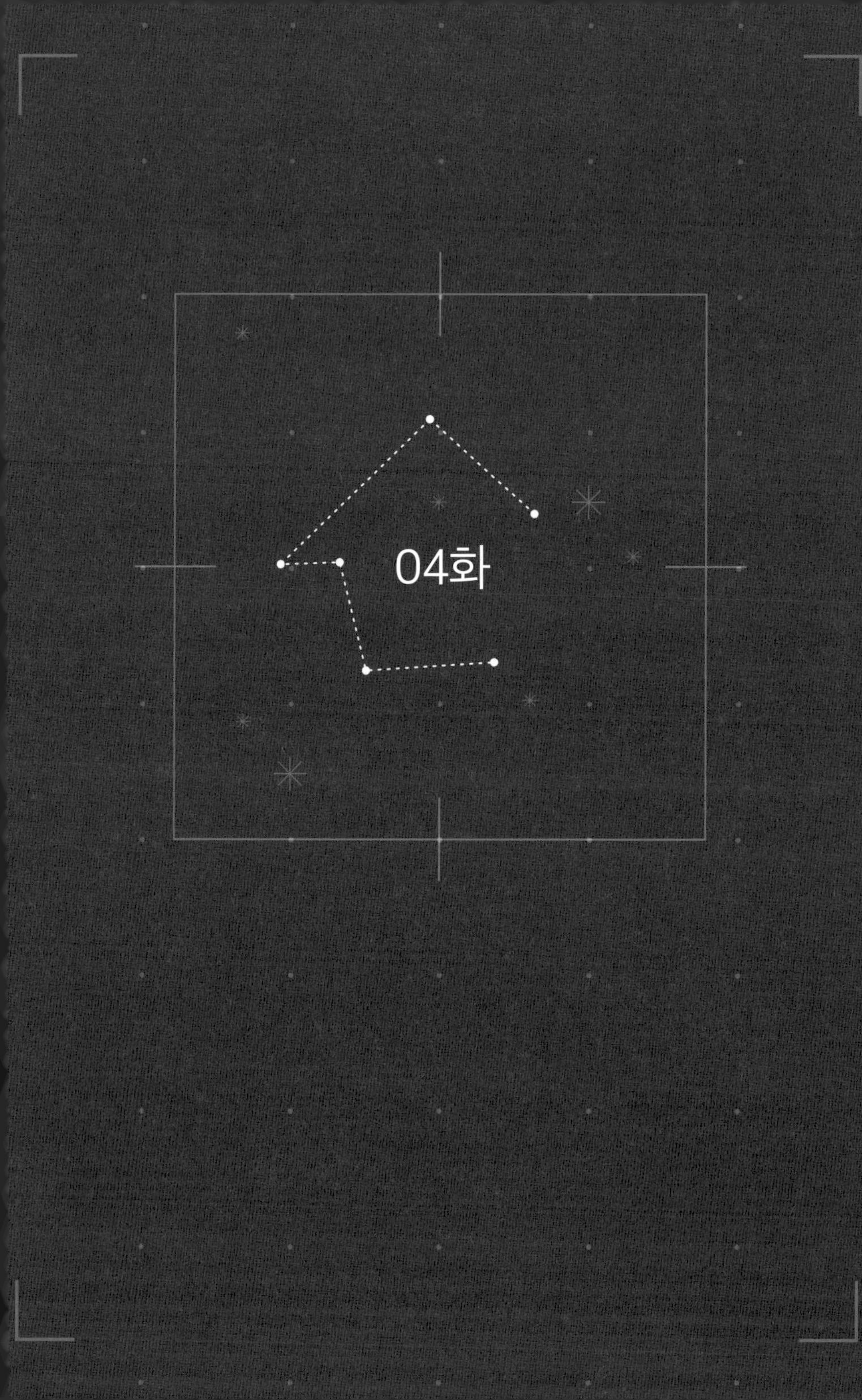

04화

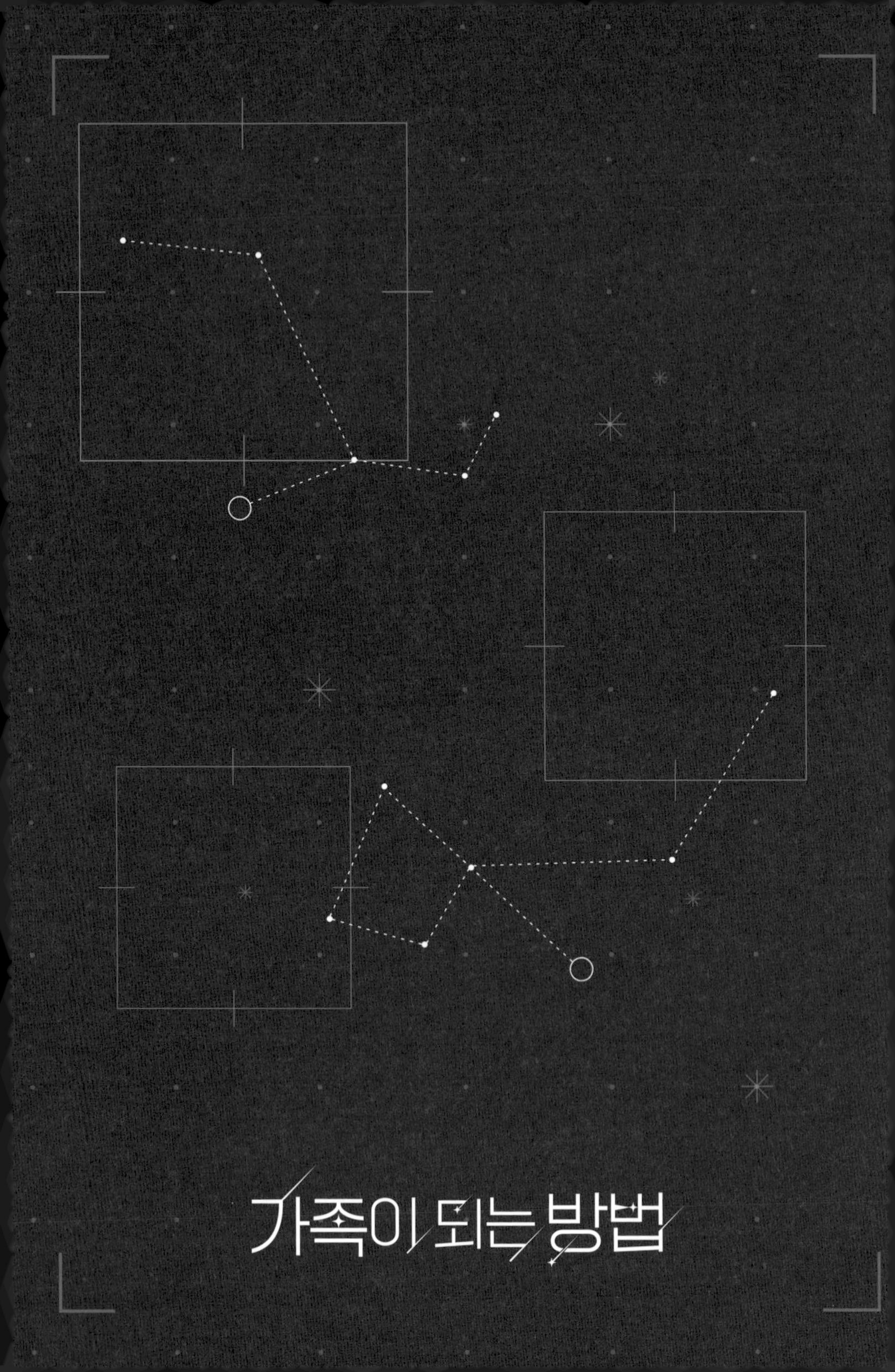
가족이 되는 방법

그 남자는
어딘가 이상했다.

그리고
나를 미워하는 게
틀림없었다.

나는
이 사실들을 알게 되자
마음이 몹시도
혼란하였다.
거기에는
두 가지 이유가
있었는데,

첫째는
왜 나를 미워하는지
이유를 알 수 없었기
때문이요
움찔

둘째는
그 남자와 어떻게든
잘 지내야 했기
때문이다.
뜨끔

그러나
아무리 내 마음이
그렇다고 한들
속내 하나도
못 터놓는 사이에
무얼 어떻게 할 수
있을까.
내 마음은 점점
어두워졌다.
뜨끔
뜨끔
뜨끔

자~ 여기서
봐야 할 포인트는
일단 화자와 남자의
관계지.
여기 시험
들어간다.
척!!
…….

…….
너 피곤해
보인다?

괜찮아?
진짜 죽을 거
같이 보여.
아…
그래?
하하….
아까 수업이
너무 내 얘기
같아서…
라고 말할
수도 없고.

그래,
나는 은하와
잘 지내야 했다.

어떻게든.

4화

다시 어젯밤.
타악
저기,
잠깐만!

……너
혹시 나한테
화난 거 있어?

휘이익

덜컥
……?????

…왜 그래?
너야말로 내 말
제대로 들은 거야?
복도에서 말하면
아래층에 계신 부모님께
다 들리잖아.

뭘 그렇게까지
신경 써?
왜….
악

…혹시 무슨
사정이라도 있나?
아버지가
많이 엄격하신…
가…?

…어쨌든,
나한테 왜 이러는 거야?
이유라도 알려주든가.

말했잖아.
부모님이
신경 쓰실 테니까….
그거 말고…
왜 나한테 자꾸
화내?

두근 두근
표정 봐.
두근
궁금할 게 뭐가 있지?
나랑 이런 이야기를 한다고 이득 보는 거라도 있어?

…아니, 이득이고 자시고
그냥 이렇게 지내면 서로 불편하잖아.

막 엄청 친하게 지내자는 것도 아니고
적당히 지내보잔 건데 그렇게 싫어?

넌 1년 뒤에는 대학을 가.

그리고 곧
군대에 가겠지.

네가 돌아오면
그다음은 내가 군대에
갈 거야.

내가
제대할 때쯤엔…
넌 대학 때문에 집을
나갈 테고.

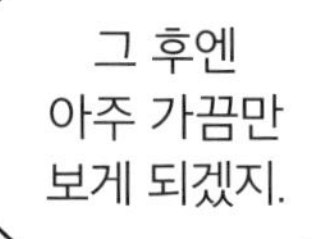
그 후엔
아주 가끔만
보게 되겠지.

그래서
잘 지내기 귀찮아.
의미도 없는데.

이해가
안 가네.

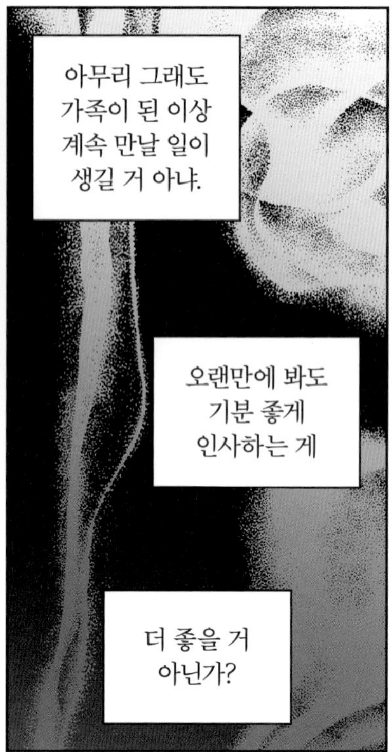
아무리 그래도
가족이 된 이상
계속 만날 일이
생길 거 아냐.
오랜만에 봐도
기분 좋게
인사하는 게
더 좋을 거
아닌가?

너…
내가 싫어?

응.

…….

더 할 말
없으면….
너도 알겠지만
난 숨기는 걸 못 해.

거짓말도 못 하고
무슨 생각하는지 표정에
다 드러나.
1년은커녕
한 달도 못 채우고
부모님께 다 들킬걸?

이래도
의미가 없어?

…내가 생각해도
대체 뭔 소린지…
욱해서 그만
아무 말이나
해버렸다….
…….

그럼 난…
이만….
알았어.

일리 있네.
그래, 친하게 지내자.

…어?

친하게 지내려면
대화를 해야겠지?
어? 뭐?
하루 한 번
대화의 시간을 갖자.
뭐?
대화… 뭐?
매일 밤
자기 전에 방으로
갈게.
잘 자,
형.
……어?
콰당
야.
저기….

…….

개…
진짜 좀
이상한 것 같아….
?

정신 좀 차려봐.
매점 갈래?
그래…
뭐라도 먹자.

새로 들어온
빵이 있대
근데
대화… 대화의
시간이라니.
이것도
괴롭히려고
이러는 건가?

은하다.

그걸
확인하고 나니

안심이 되었다.

…….
진짜
오려나?
대화의
시간인지 뭔지….
두근
두근
두근

끼익…
저벅
저벅
두근

두근
오나…?
두근
두근
오는 건가?

조용…
두근
두근

똑똑

왔다…!

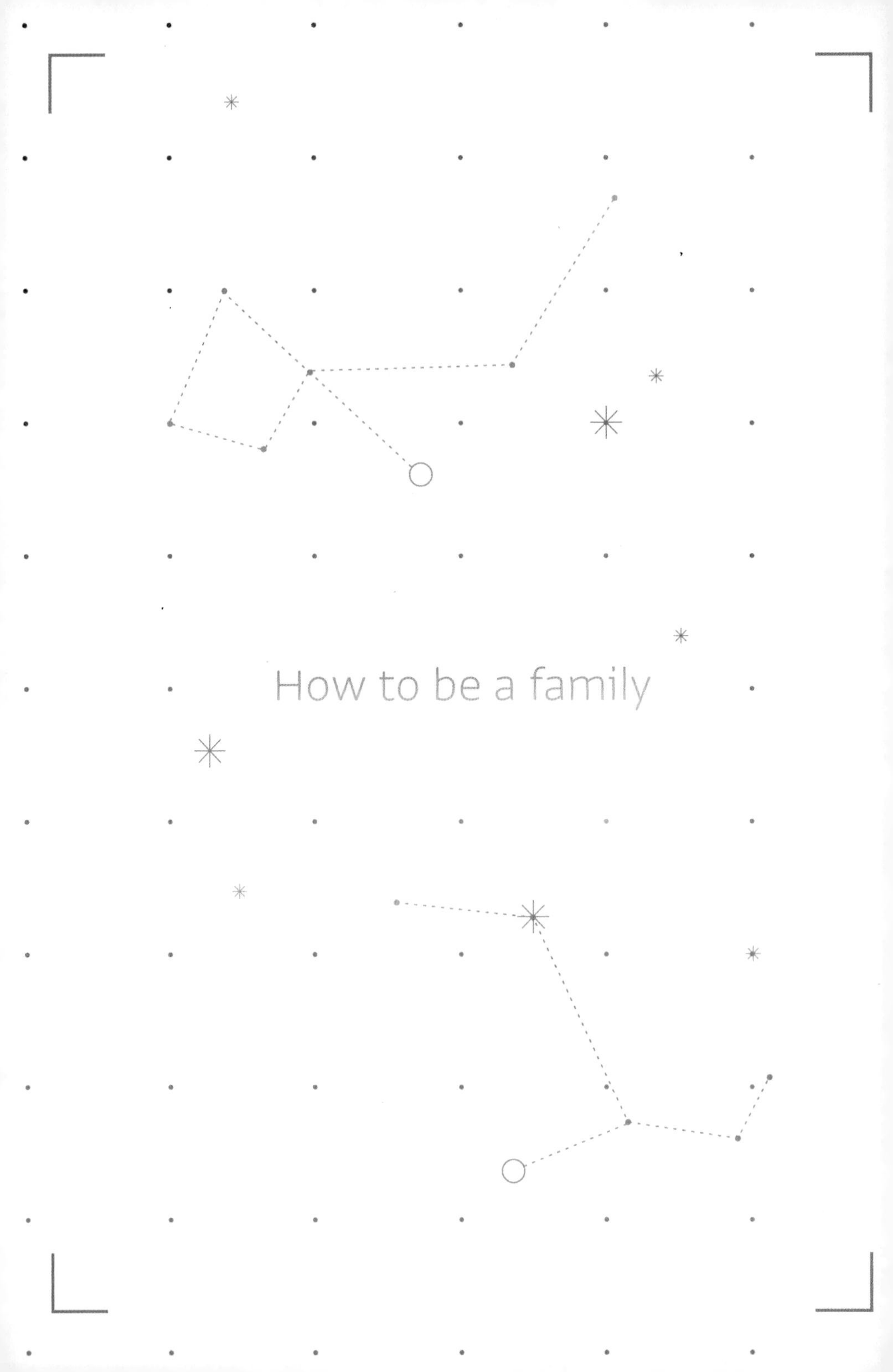

How to be a family

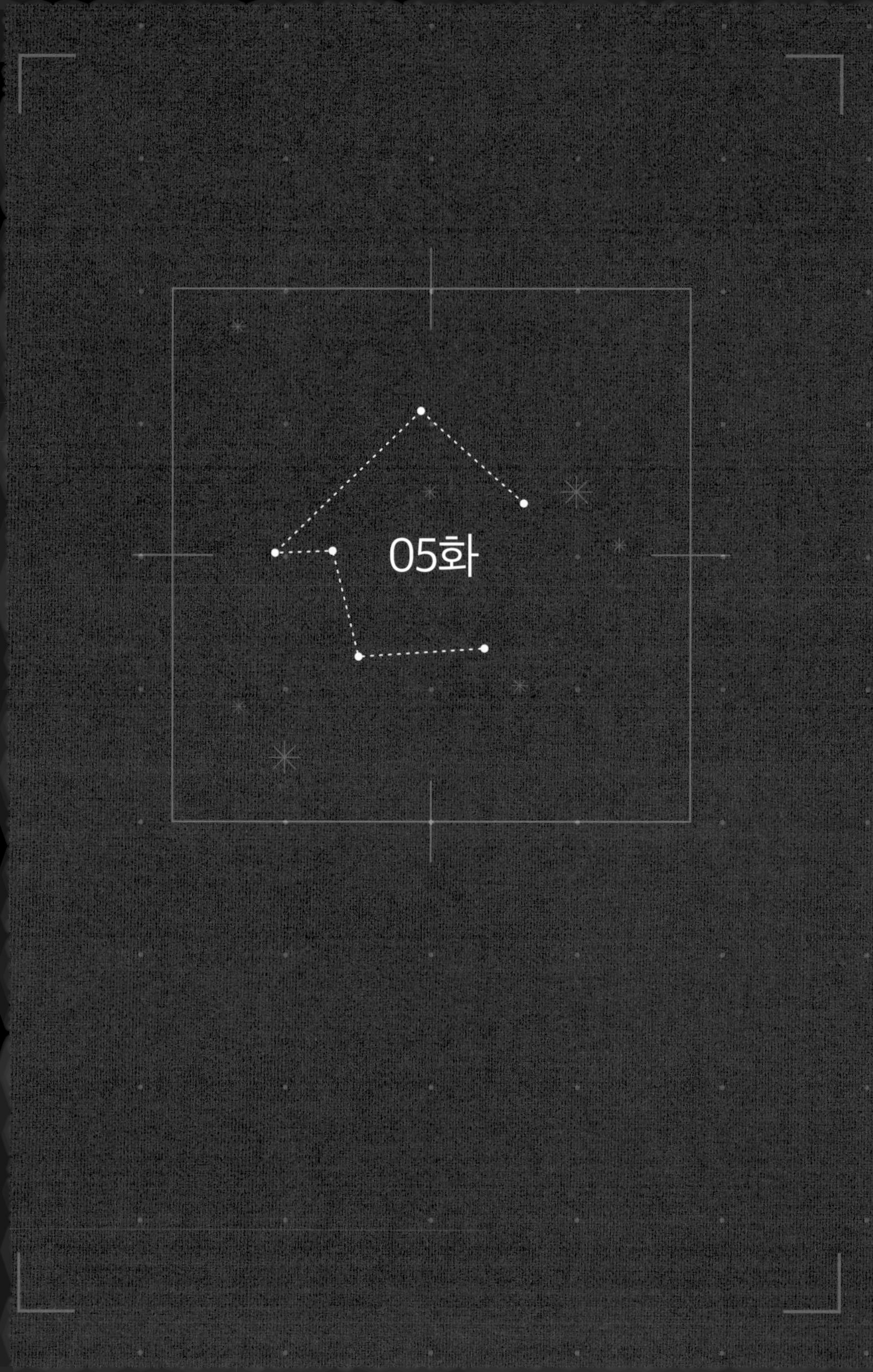

05화

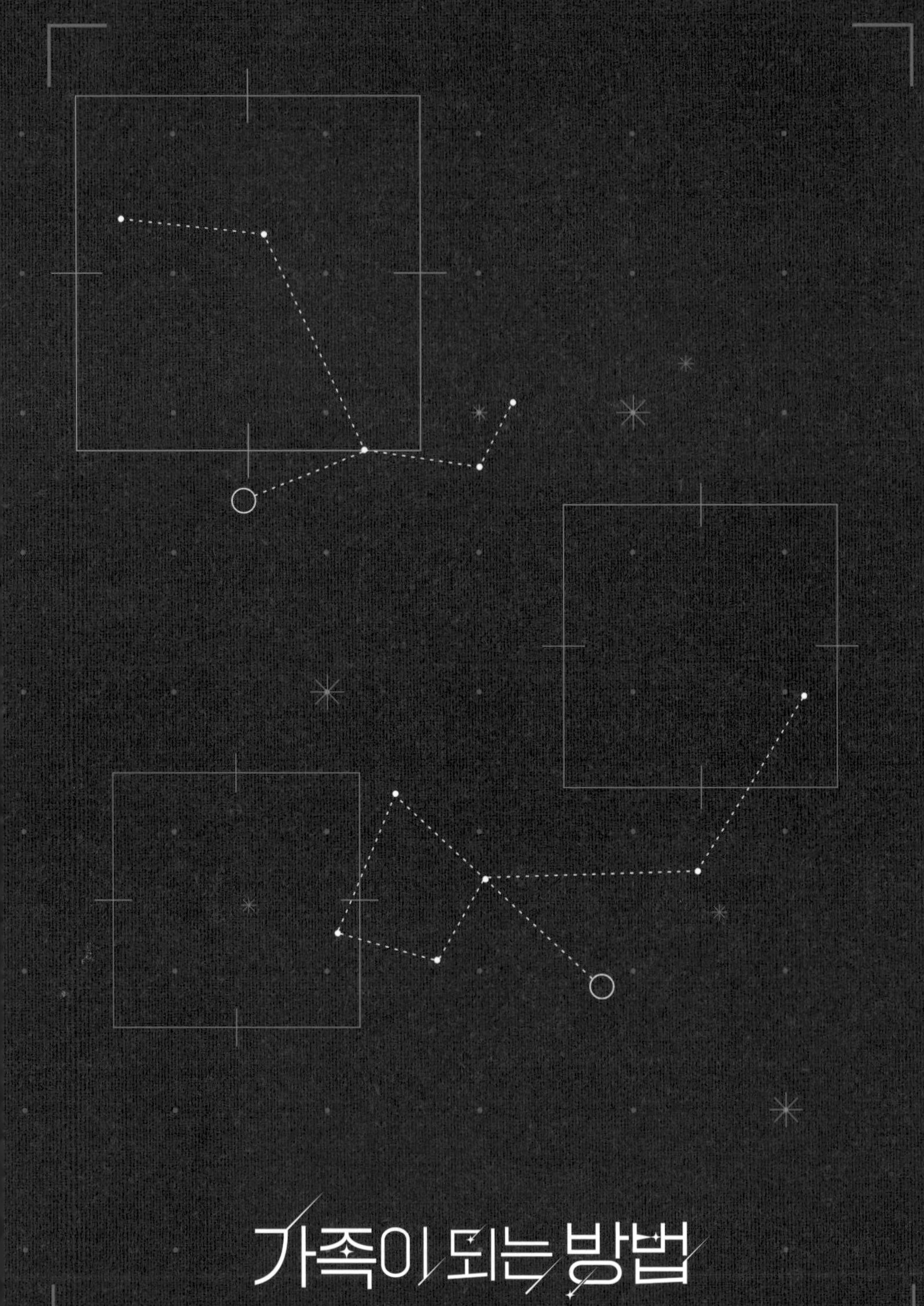
가족이 되는 방법

달칵

끼이이…
와버렸다.

어…
안… 녕.

대화의
시간이란 것이.

두근
대체 무슨 대화를
하려고 그러지?
두근

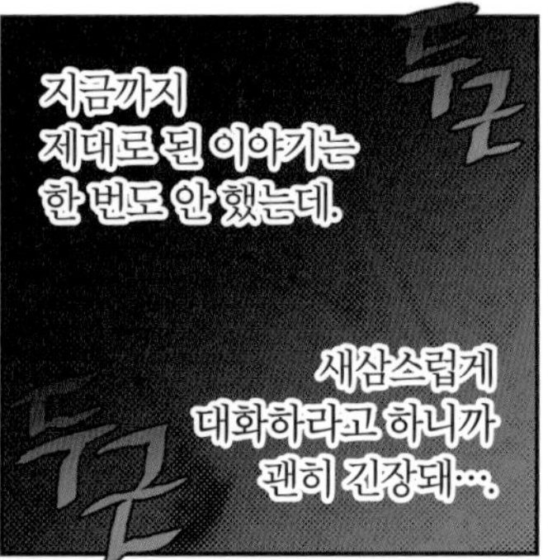
두근
지금까지
제대로 된 이야기는
한 번도 안 했는데.
새삼스럽게
대화하라고 하니까
괜히 긴장돼….
두근

두근
그러고 보니…
평소에 사람들이랑
무슨 대화를 했었더라?
오늘은 뭐 했냐,
기분은 어떠시냐,
식사는 하셨냐…?
두근
두근
다 이상한데…
대체 무슨 말
해야 하지….

아니…
그것보다
울렁
은하가
무슨 말을 할지를
더 걱정해야 하나?
울렁
대체
무슨 말을 하려고
이런 자리까지
마련한 거지?
울렁
무슨
목적으로….

어… 어!
두근
응.

…….
형.

물끄럼
…….

…왜!
왜!
대체 뭔데?
뭔데 그래!!

무섭다고!!
형…….

취미가
뭐야?
…….
잉?

…저 그래서
주말에 형이랑
배드민턴 치기로
했어요.
배드민턴
엄청 좋아하잖아요,
형이.

아버지도
같이 하실래요?
이러려고
그랬구만….

5화

…음…….

요즘 일과는…
이게 전부인 거지?
그래.

형 생일은
언제야.
7월 10일….
제일
친한 친구는?
어…
성훈이라고
있는데….

이제
필기까지 하네.
우와…
집중한 거 봐.
열심!

하아…
김빠진다.
뭘 하려나
했더니….
이게 무슨 대화야?
취조도 아니고.

이렇게까지…
해야 하는
일인가?

내 정보를
알아내서
아버지 앞에서
친한 척 하려고….
아버지한테
잘 보이려고?

그렇게까지 해야 하는
사정이란 대체….
무서워서 물어볼 수 없다
어쨌든,
보기엔 일방적인
대화였지만

꼭
그렇지만은
않았다.
나도
은하에 대하여

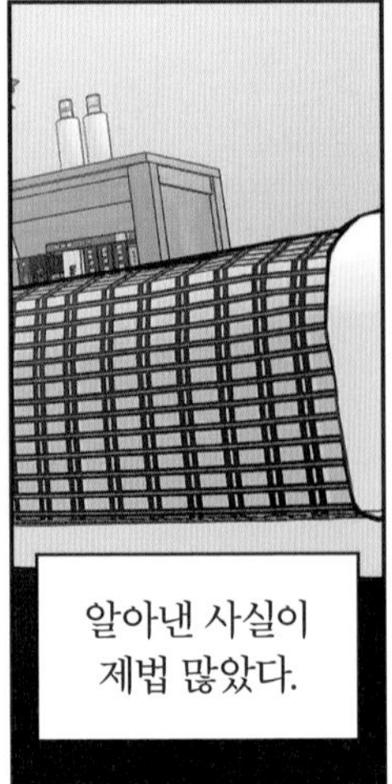
알아낸 사실이
제법 많았다.

은하는…
따악
아!

너…
별로 안 해본 거
맞아?
왜 이렇게
잘 쳐.
헉
헉
헉
그런가?
잘 몰라서.
…

힐끔

아버지를
기다리나?
사연이
많아 보이는
사람이었다.

안 오실 것
같은데….
함부로
건드렸다가
심각한 게 나올까
두려워
대체
왜 그래? 하고
묻기가 도무지
어려운….

…….
그런 느낌이
있었다.
물론 묻는다고
대답해줄 것
같지도
않았지만….

무엇 때문에
저러는 걸까.

하염없이
가족을 기다리는
유기당한
가엾은 개처럼.

한 판
더 할까?
…됐어,
이제.
재미없어.
그냥 왠지

자꾸만
마음이 쓰여서

점점…
시간이 갈수록

은하랑
같이 있는 게
괜찮아졌다.
그렇다고
친해졌다고
할 정도는
아니었지만.

그래도
은하를

걱정할
정도의 사이는
된 것 같다.

그래서
요즘 공부를
열심히 했어요.
아…
형이랑
했는데.

요즘 형이랑 같이
공부하고 있거든요.
형이 많이
알려줘서….

…정말 도움이
많이 된 것 같아요.
그래서….
타닥
타닥
탁

이번에…
성적이
좀 잘 나온 것
같은데….

…….
타닥
탁
타닥
타닥

저…
아버지.

성적표…
봐주지
않으실래요?

이번에 정말
잘 나왔거든요.
등수가…
은하야.

안 궁금해.

…지금 일하느라
바쁘거든.
얼른
가서 자라.

꾸ㄱk

네….

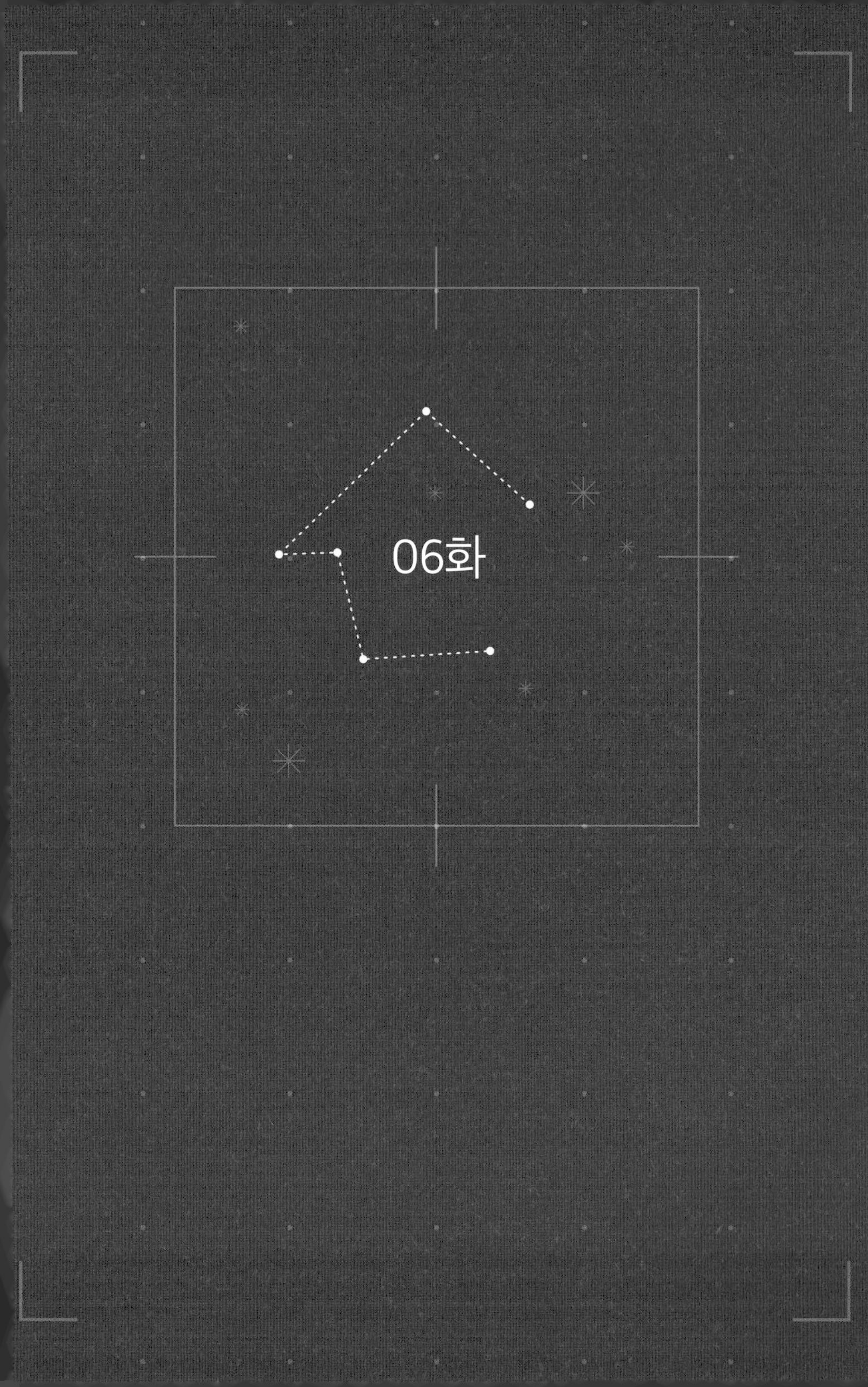

06화

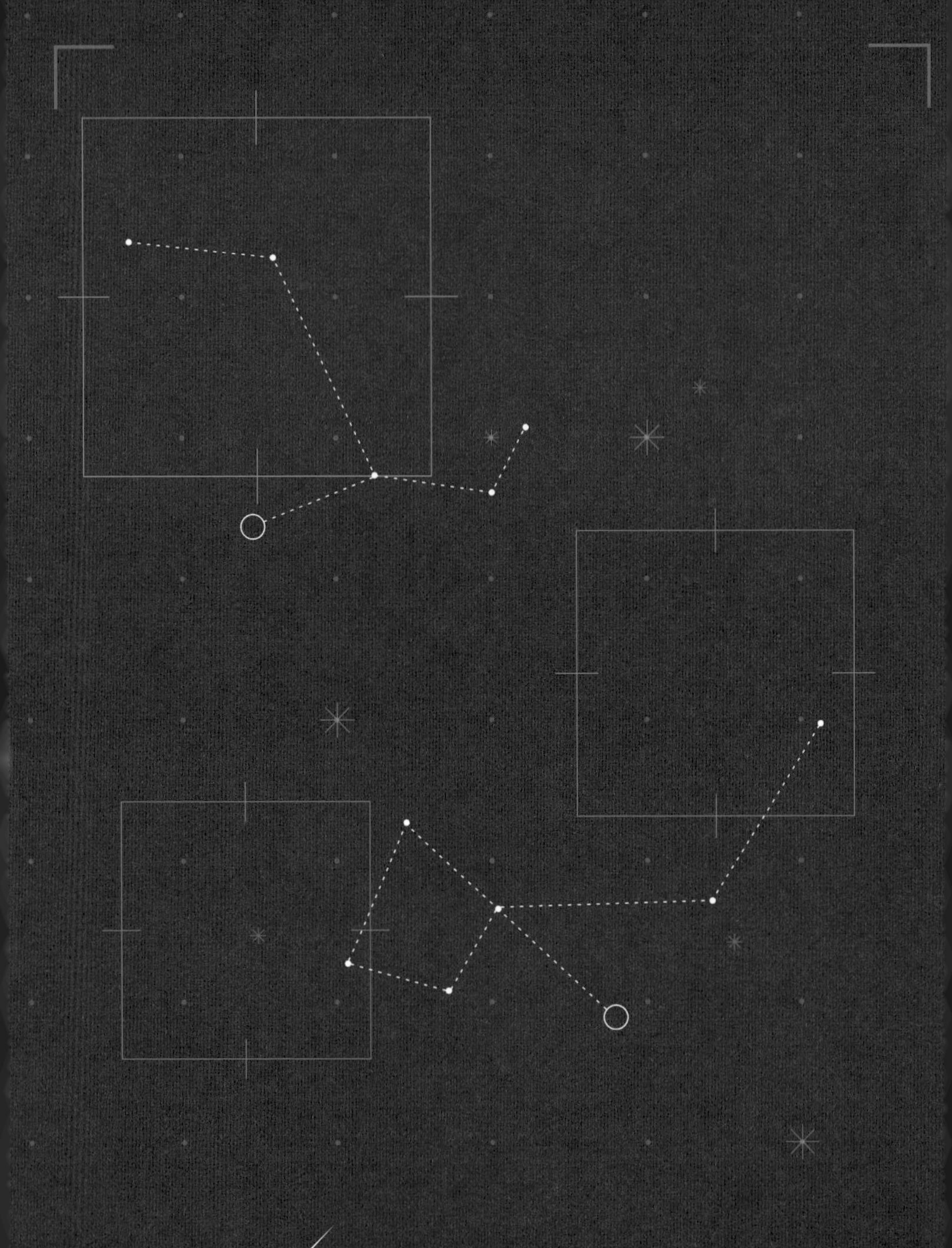

가족이 되는 방법

삑
삑
삑
삑
삑
삑

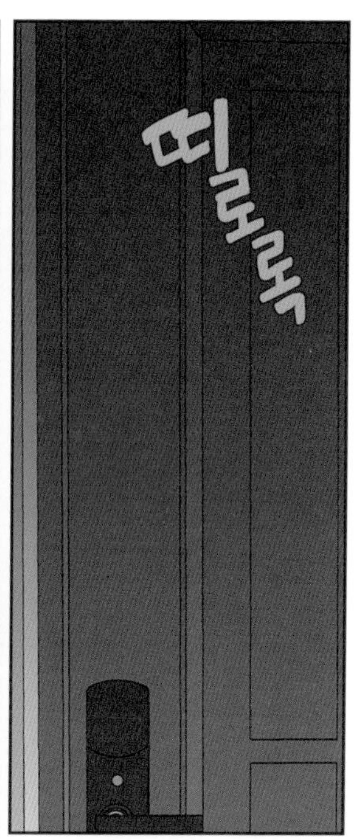
띠로록

끼이이

어으으…
빡세다,
고3….
하아…
눈 아프고…
어깨 아프고…
자고 싶고….

하지만
자면 안 돼!
부글
하나라도 더
단어를 외우고 자자!

조금만 쉬고….
하아…
조금만…….

6화

뒤척...
응?

엄마랑…
…새아버지?
아냐, 엄마는 아직
밖이라 하셨는데….

으음…
요즘 형이랑
같이 공부하고
있거든요.
형이 많이
알려줘서….
…아.
은하구나.

또 나랑 있었던
이야기 써먹고 있네.
나랑 친한 척해봤자
별로 도움 안 될 거
같은데….
새아버지가 날
좋아하시는 것
같지도 않고.

성적표 봐주지
않으실래요?
이번에 정말
잘 나왔거든요.
등수가….
…….

이게 뭐야…
엿듣는 것도 아니고.
그냥 올라가서
자자….
은하야.

안 궁금해.

잘못 들었나?
안 궁금하다고
말한 거 맞지?
아니, 무슨 말을
저렇게 해….
가끔 쎄하다 싶었는데
이건 진짜 좀….
끼익
깜짝
털썩
타악
저벅

저벅
저벅
두근
두근
저벅 저벅
끼이익
두근
두근
두근
철컥
삐리릭
끼이이…
딱
…….
어?
반짝

어?
벌떡

어?!

어디 가는 거지? 밤 열두 시에!
재 괜찮은 건가?

어… 어떡하지? 혹시…
다른 마음 먹은 건 아니겠지?
막… 막….

막…….
이젠 집에
가지 않겠어.
빙글
빙글
춥다….
세상아…
안녕.
빙글

안 돼!!
은하야…!

어디 가,
이 시간에?
많이
늦었는데….

저기…
어…
안 추워?
아직 밤엔
쌀쌀한데.
나온 김에
편의점이나
갈까?
컵라면
먹고 싶은데….

다 들었지?

아, 그…
미안해.
일부러가
아니라 정말
우연히….

어땠어?

어때 보였어?

……?
…….
…….

네가 보기에도…
아버지가 나를
싫어하는 것 같아?

끼익…

…좀 괜찮아졌어?
…….

아버지는…

사실
친아버지가 아냐.

난 고아원에서 자랐어.
원래 나를 입양해주셨던 부모님이 계셨었는데…

사고로… 돌아가셔서.

꼼짝없이 고아원으로 돌아갈 거라 생각했는데
그때 나타난 게 지금의 아버지야.

형이 입양한 아이니까 자기가 데리고 가겠다고….
…난 고아원이 싫어.
가족이 없는 게 너무 싫었어.

그래서…
지금의 아버지가
날 데리러 오셨을 땐
정말….

좋았는데….

쏴아아

있잖아.
그… 아버지가 무슨 생각인지는 나도 잘 모르겠지만….

나랑 엄마가 있잖아.

우리도 이제 너랑 가족이야.

위로가…
될지는 모르겠지만.

조용…
…좀 그랬나?
삐쭉

그때 은하의
표정은 꼭
나를
처음 보는 것만
같았다.
마치…

그제야
내 존재가
눈에 들어온
것처럼.

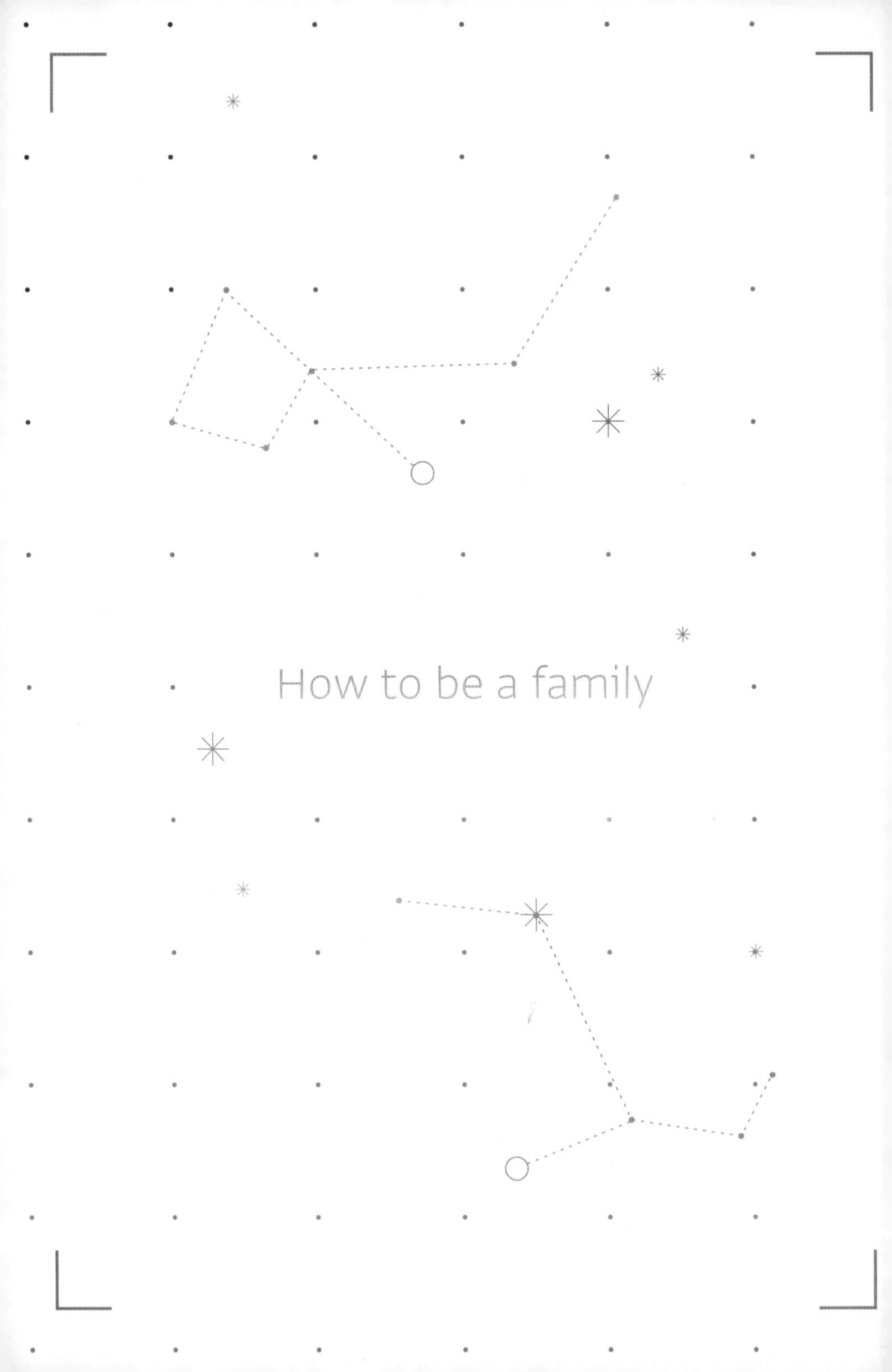

How to be a family

07화

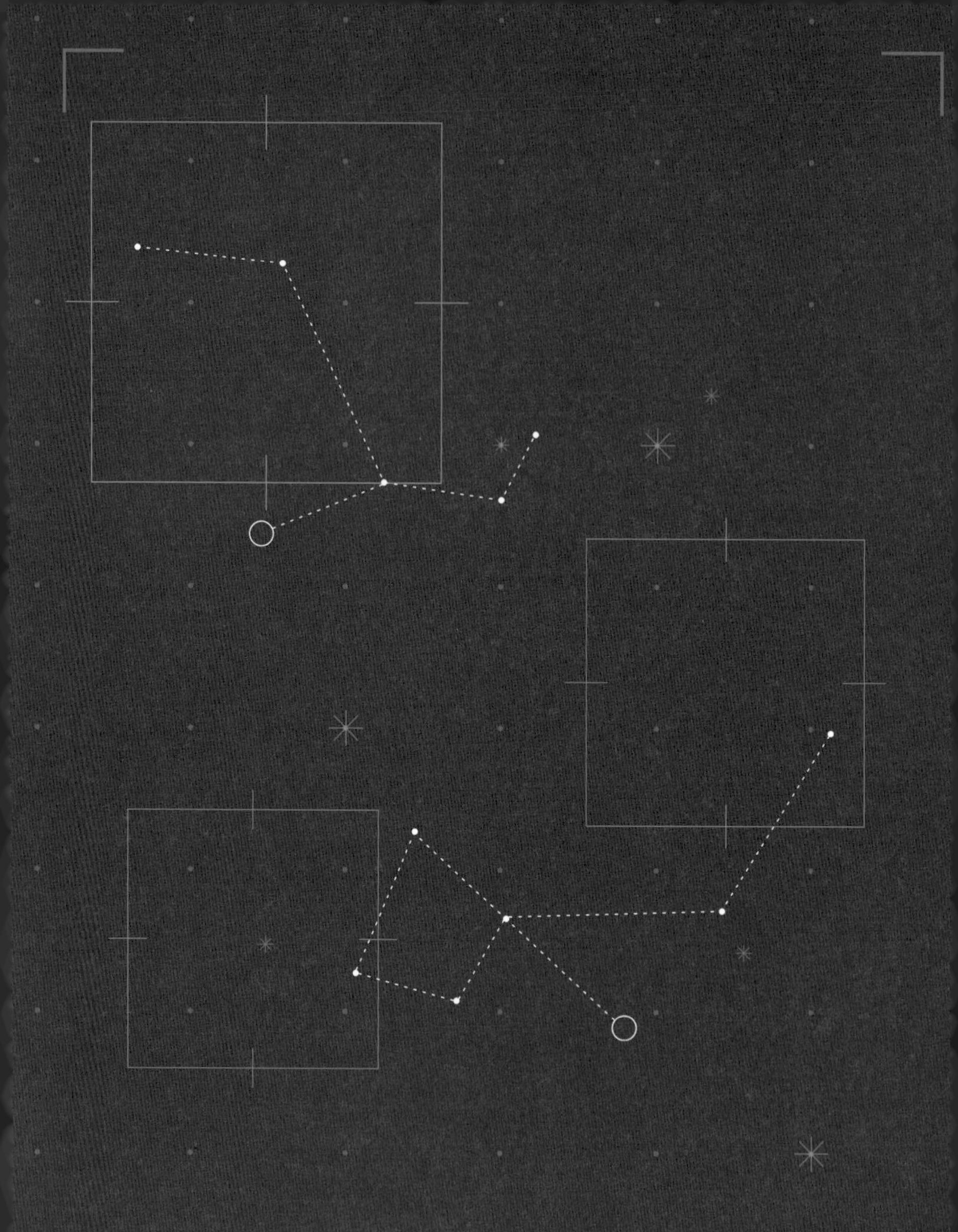

가족이 되는 방법

나랑
엄마가 있잖아.

우리도 이제

짜악
짜악
짜악

짜악
짜악
짜악
짜악
짜악

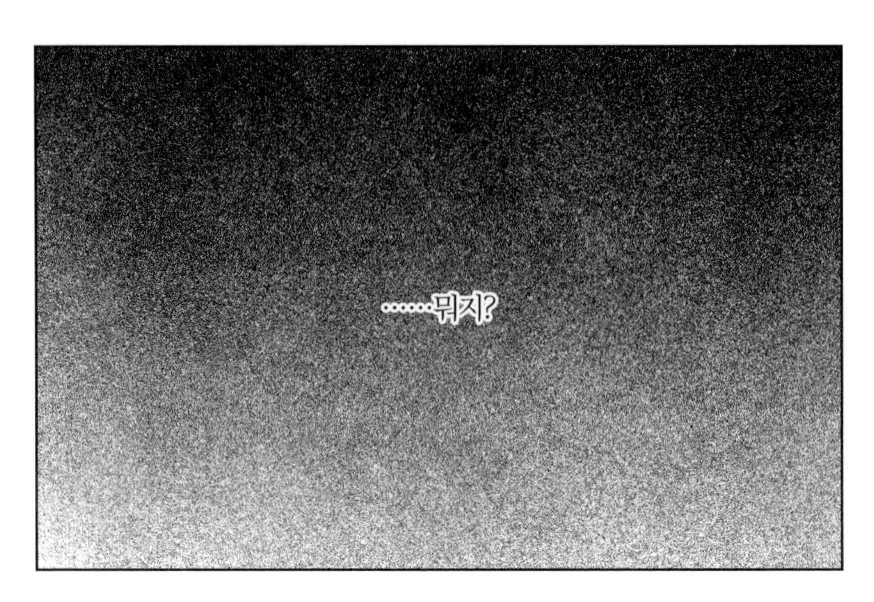

.......뭐지?

문 앞에서
은하가 기다리고 있는
이 상황 뭐지?
쿠웅

아침에
일어나…
늘 그렇듯
학교 가려고
했더니,

*근데 어울림.

방긋

나도 지금 학교 가는데.
같이 가자.
어?

으…
으응…
응….

7화

와글
와글
와…….
와글
어떻게 왔나
모르겠네.
학교에 왔을 뿐인데
벌써 힘들어….

걔는 왜 안 하던
짓을 하고 그러지?
날씨 좋다!
그치?
응…
그러게….
나랑 등교 시간도
다르면서….
그리고
계속 웃으니까
너무 무서워….

야,
신도연!
깜짝
어,
어?

이거 너한테
전해달라는데?
뭐? 누가?
Bicnic

쟤가.

?

1교시 쉬는 시간.
이거
전해달래.
탁

2교시 쉬는 시간.
야, 이거
너 주란다!
나 한 입만.
탁

3교시 쉬는 시간.
이거 너한테
전해달라는데.
쟤 누구야?
탁

점심시간.
야, 누가
너 부르는데….
그만 좀!!!

갑자기…
왜 그러는 거야?

혹시…
어제 일 때문에
그래?
말 안 할 거니까
걱정 안 해도….
푹
억.

?!
너 이거
어디서 났어?
뭉게
어?!

오늘 급식
형이 싫어하는
거잖아.
나가서 사 왔어.
친구랑 같이 먹어.
뭐? 종 친 지
얼마 안 됐는데
어떻게 사 온 거…
아니, 진짜 왜 그래?
어제 일 때문에 맞지?

나도 밥 먹으러
가야 해서 얼른
가볼게.
맛있게 먹어!
어? 잠깐만….
야!

고마워서
그런 거 아니야?

얘기 들어줘서
고맙다…
뭐 그런 거겠지.
좀 과하긴 한데
걔한테 중요한
일이었나 보다.
냠
냠
냠
쩝
쩝
그렇지…
보통은 그렇겠지.

보통은?
어, 아니,
아니야.
떡볶이 맛있다.
흠칫

하아…
나도 그렇게 생각하고
말고 싶은데.
근데 상대가
은하다 보니까…
그냥 고마워서
그러는 거겠지 하고
넘길 수가 없단
말이야.

은하랑
좀 친해지긴 했지만
솔직히 아직도
걔가 무슨 생각 하는지는
잘 모르겠어서….

에라, 모르겠다.
그만 생각해야지.
맛있었다,
매점 쏠게.
그리고
뭐 이쯤 했으면
그만 찾아오겠지….

우리 반 애들 이제
너 얼굴 다 외웠을걸….

신도연의 하루
학교 > 야자 > 학원
끝나면 열두 시.

서은하의 하루
학교 > 야자(1교시만)
> 자습실이나 집에서
공부.

학원은 또
어떻게 안 거야?
아니… 아니다,
내가 말했겠지 뭐.
내일 보자~
얘기한 게
하도 많아서 뭘
말했었는지 기억도
안 나네.

미안해.
형… 화났어?

화났다기보단…
이상해서 그렇지.
어제 일이
그렇게 신경 쓰여?
아니면…
또 무슨 일 있어?
이제 뭔지 좀 말해봐.

미안해서
그랬지.

잘못 들었나…?
내가 그동안
형한테 막 굴었잖아.
그게 너무 미안해서….

…그럼 그렇다고
말로 하면 될걸,
뭘 이렇게까지….
머쓱
괜찮으니까 너무
미안해하지 말아.

오늘도 내가
너무 부담스럽게
굴었나 봐.
미안해, 내가 정말
요령이 없어서….
아냐! 아냐!
맛있었어!
야, 어떻게 내가
좋아하는 것만
사 왔더라!

고마워, 형.
우리 정말…
잘 지내보자.

응….
이상하지.
가족이 된 지는
꽤 됐는데
이제서야
가족이 생겼다는
실감이 들다니.

왠지 어색하고
멋쩍으면서도
은하와 친하게
지낼 수 있다는
사실이
무척이나
설레었다.
아~~.

쭉스
피곤해 죽겠다!
얼른
집에 가서 자자.
쭉스
응.

빨리 고3
끝났으면 좋겠어~.

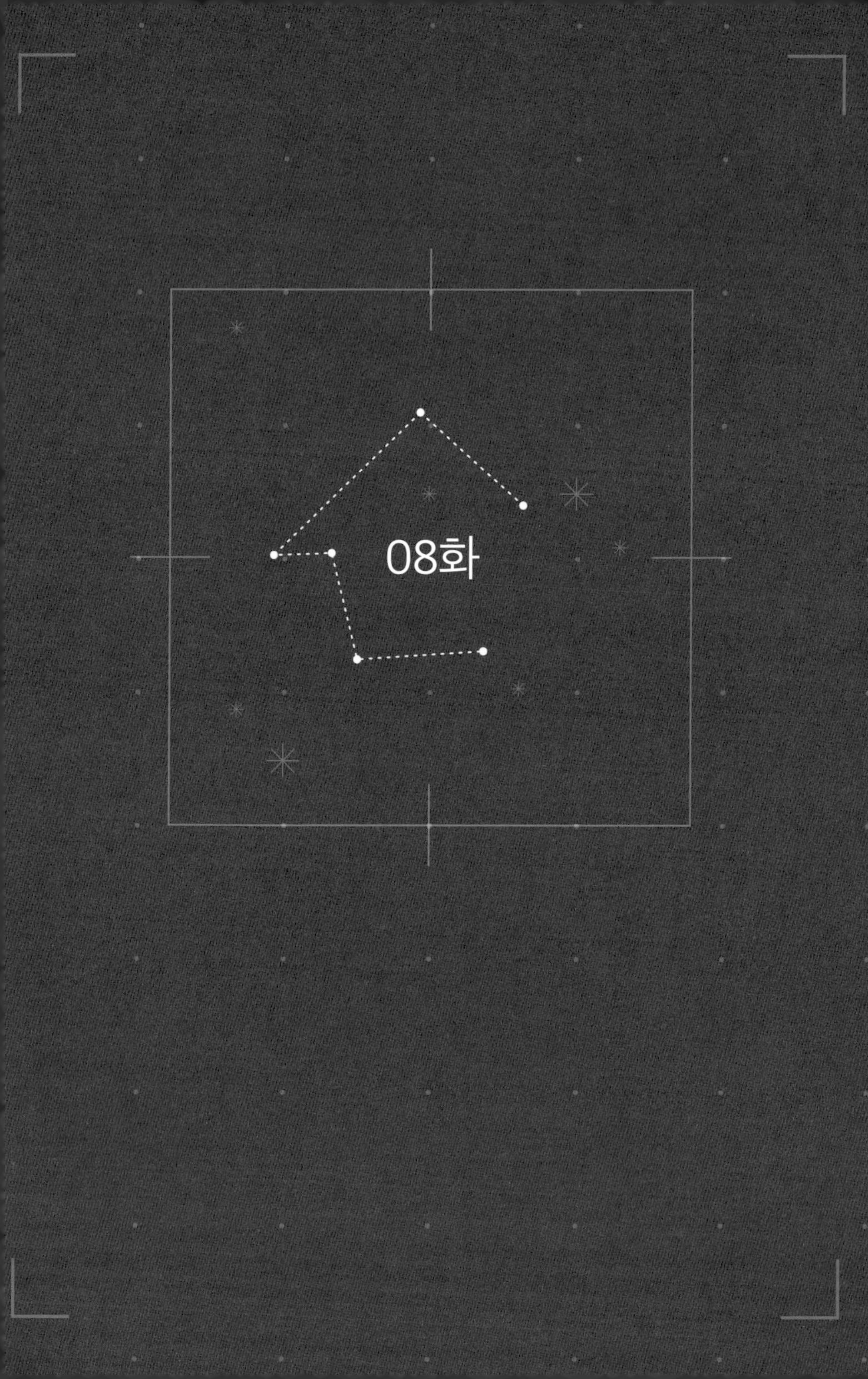
08화

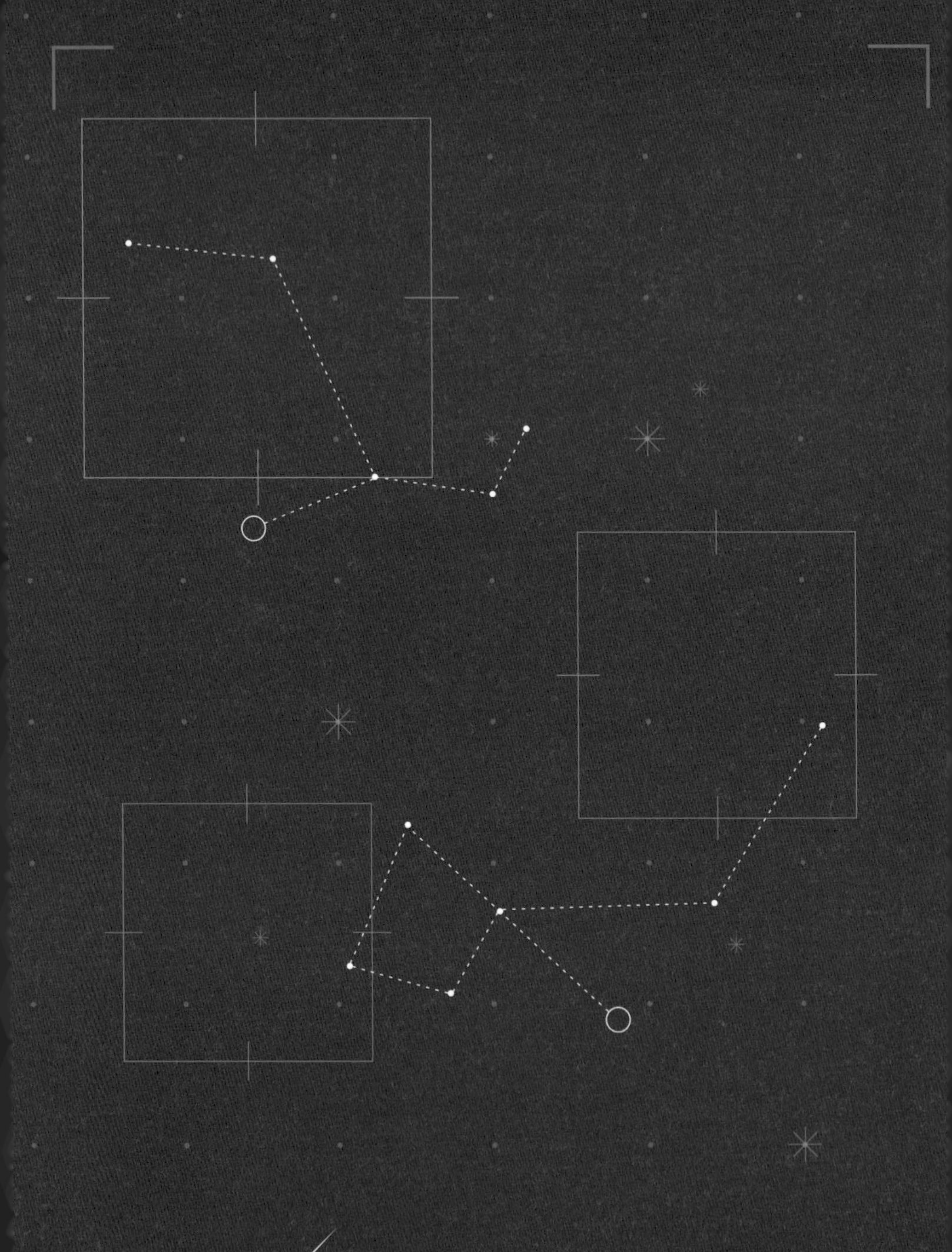

가족이 되는 방법

이제
진짜로…
동생이
생겼으니
잘해줘야지.

오해가
좀 있었지만
착하고
좋은 애니까.

잘해주고
싶어.
잘…
잘…….

쏴아아아

쏴아아
아아아

잘해주고 싶은데…
사람이… 해줄 수 있는 게 너무 없는 거 같아….
뭐?
헉!
쏴아아아아

힘들어 하는 사람을…
내가… 어떻게 도와줘야 좋을지….
중얼
중얼
쏴아아 아아…
아이고!
얘! 얘!!

물을 이렇게 주면 어떡해! 흙이 다 넘쳤잖아!
어휴~~ 내가 못살아, 진짜!
철썩
철썩

여기 다 청소해놔. 화분 엎지 말고!
알았어요….
어휴, 정말!
쏴아아아아

그래서,
누구 얘긴데?

…응?
누가 힘들다며.
누군데? 성훈이?
무슨 일 있대?
많이 힘들어?
아… 아냐.
걔 아냐. 그리고
막 그 정돈 아냐.

그래…
혹시 무슨 일
있으면 말하고.
알았지?
응….

…….

엄마한테는
말 못 해….
엄마가 알면
은하 아버지도
알게 되는데
은하가
힘들어질 거야….

하지만
어떡하지?
요즘….

은하가…
맞고 다니는 것 같은데….
진짜… 어떻게 하지?
8화

일주일 전.
형.
집에서
공부하니까 어때?
잘 돼?

응….

일단
학원 나가는 것보단
덜 피곤해서 좋아.
← 결국
학원 관뒀다
끝나면 바로
잘 수도 있고….
잘됐네,
좀 쉬어야 집중도
되지.

그리고…

네가 설명하는 게
선생님보다 더 알기 쉬워!
어떻게 3학년 과정까지
다 알아?!
놀라움
도움이 됐다니
다행이다~.

너는 대학
어디 갈 거야?
너무 당연한 걸
물었나? S대지?

응….
갈 수 있다면.

?

헉.
설마…
아버지가
안 보내줄 수도
있는 거야?

괜찮아!
덥썩
같이 가자!
갈 수 있어!

내… 내가 성적이 될까 모르겠지만….
…모르겠다! 까짓것 해보지, 뭐.

그러게.
형이랑 같이 가면 진짜 좋겠다.

…….

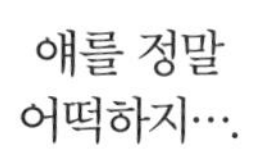
얘를 정말
어떡하지….

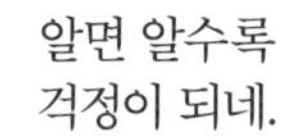
알면 알수록
걱정이 되네.

아는 만큼
보인다더니
아버지가
은하한테 냉랭한 게
너무 잘 보여.

하지만
이 문제를 섣불리
손댔다간 은하가
상처받을 수도 있어.
은하가 아버지를
너무 좋아하니까….

응?

사락
여기 왜 그래?
다쳤어?
!

별거 아니야.
별거 아니긴! 멍들고 부었는데.
약은 발랐어?
있어 봐, 나한테 밴드랑 연고 있어….

조심
조심

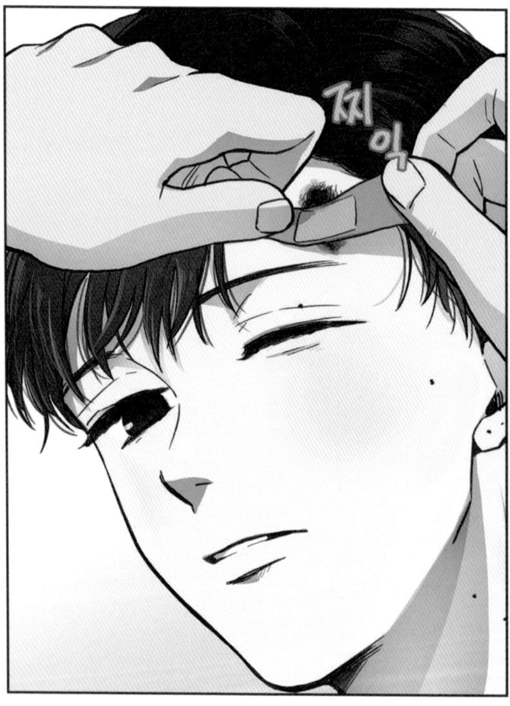
찌익

직접 붙여주는 건
좀 과했나.
당황해서 아무말
저…
점이 많네?
응.

점이 많아서
이름이 은하야.
별 같다고.
재밌지?
아~
그렇구나.
예쁘다….

……?
그럼 슬슬 잘까?
시간도 벌써 12시가
넘었으니….

너…
그 상처들
다 뭐야?

지금 옷 안쪽도
멍든 거 아니야?
어디서 그렇게
다쳤어?

아냐….
아니긴
뭐가 아니야?
이거 어디서
맞았어?

…….
혹시…….

아버지가…
때려?

아니야!
덥썩

진짜 아니야!
오해하지 마,
아버지 그런 사람
아니야.
진짜야!
어…
어.

헉

…진짜로
별거 아니야.
그냥 친구들이랑
좀 싸웠어….

…부모님한테
말 안 할 거지?

…….

저벅
저벅
저벅

저벅
저벅
저벅

못 믿겠어!
저벅
저벅
저벅

아버지한테
잘 보이려고 우등생에
착한 이미지를
유지하려는 애가
친구랑 그렇게
치고받고 싸운다고?
말도 안 돼.

아무래도
아버지를 감싸려고
거짓말하는 거
같은데.
…그래도
혹시 모르니
학교에서 어떻게
지내는지
확인은 해봐야지.

…근데…
어떻게 확인하지?
서성
서성
몰래 보는 것도
눈에 띌 것 같은데.

음...

그냥 복도를
지나가면서
슬쩍 보자.
스윽

…….

이틀째.

사흘째.

일주일째.

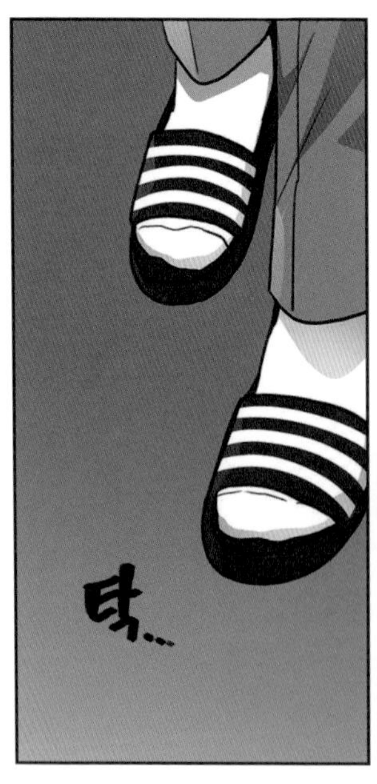
탁...

어떡하지?

은하가
진짜로…

계속
혼자 있는데…?

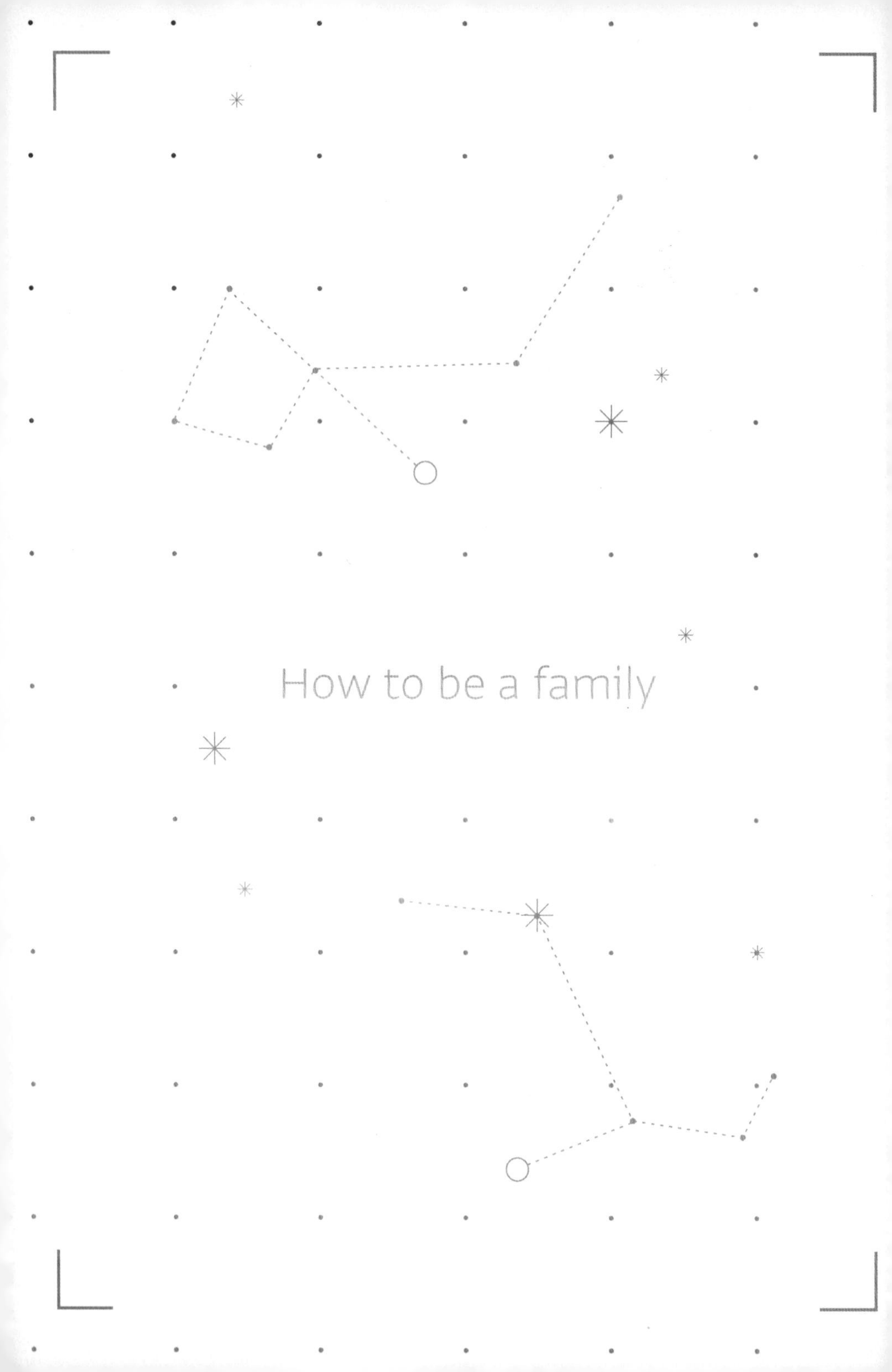

How to be a family

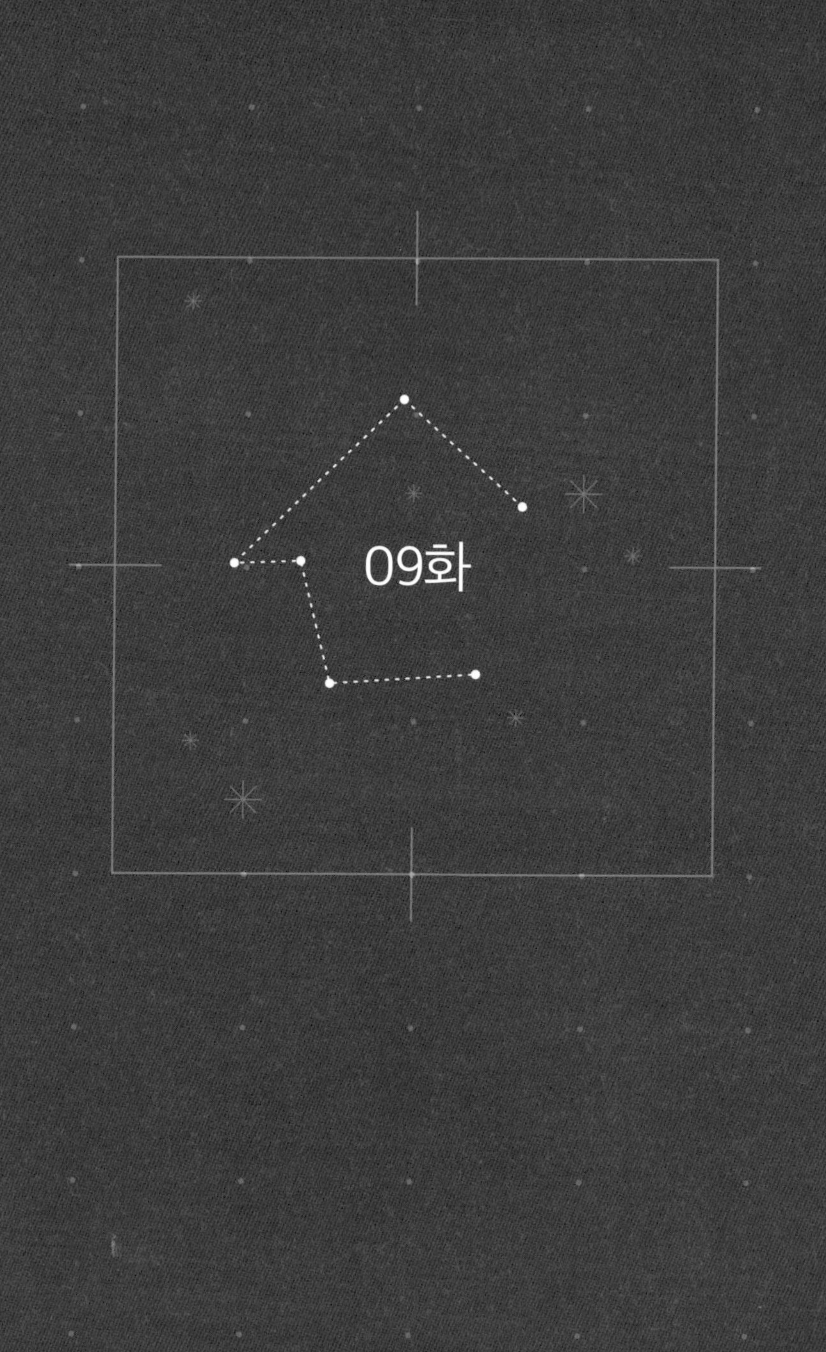
09화

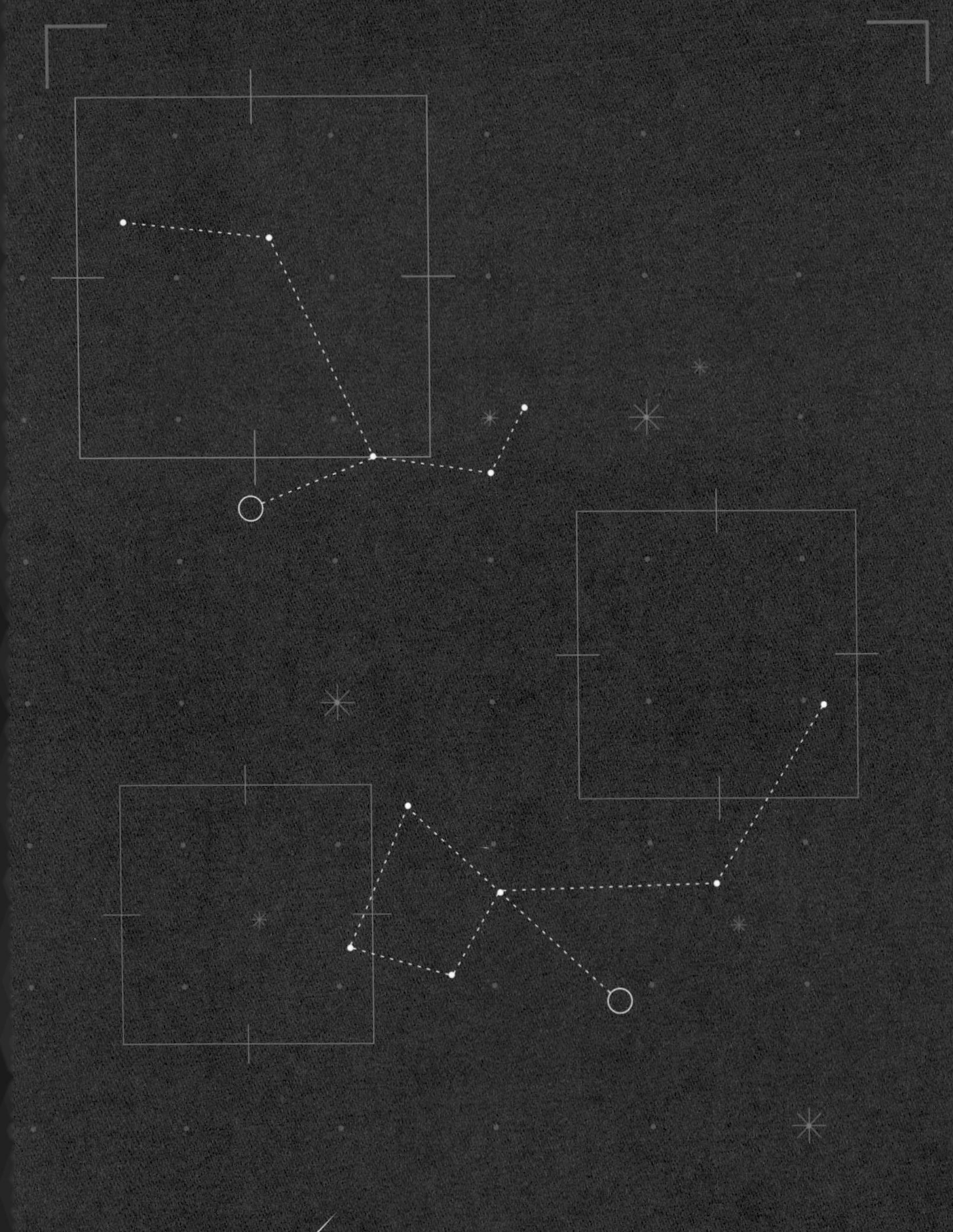

가족이 되는 방법

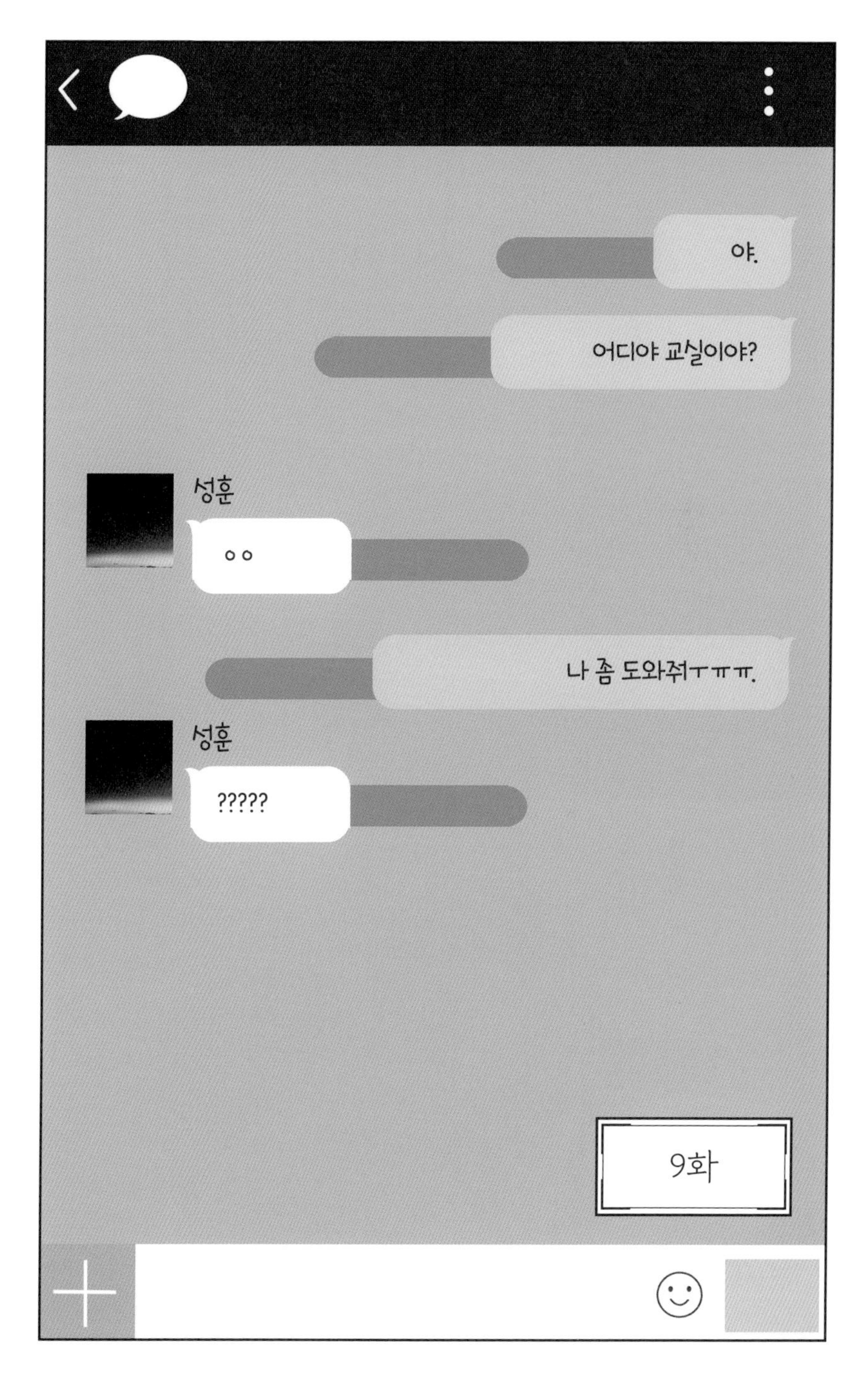
야.
어디야 교실이야?
성훈
ㅇㅇ
나 좀 도와줘ㅜㅠㅠ.
성훈
?????
9화

…학교 폭력??

누가? 언제?
어디 다쳤어?
일단 선생님께 가자.
어? 아니, 아니.
나 말고.

그…
동생이 당하고
있는 것 같은데….
어떻게 해야 할지
알 수 없어서.
무슨 일이
있었는데?

요즘 동생 몸에
자꾸 상처가
생기는데…
그게
사람한테 맞아서
생긴 것 같거든.

걱정돼서
요 며칠 지켜봤더니
계속 혼자 있더라고….
음….

그래서 정황을 알아보려고
걔네 반 애들을 붙잡아서
무슨 일인지 물어봤는데.
순순히 알려줘?
아니… 빵 사주고
겨우 들었어.

원래 서은하랑 같이 다니던
애들이 있었는데

걔네 중딩 때부터
상태 안 좋기로 소문난
애들이었거든요.

은하가 좀
눈에 띄고 공부도 잘해서
선생님들이 좋아하니까,

걔네가
학교 생활 편하려고
은하를 따라다닌 거라는…
얘기가 있었어요.

대답 안 해?
씹어?
아…
저번부터 X나 거슬리게 구네.
헉, 씨… 깜짝이야.
뭐지? 싸우나 봐….
이 X끼 대체 뭐가 문제냐?
야, 됐고. 하나만 묻자.
담배 니가 말했냐?

응.
빠악

그걸 그냥
보고만 있었어?!
그걸 제가
어떻게 말려요….
저 싸움
완전 못해요.

선생님께
말을 해야지!
아,
그 생각은
미처….
…라고 하더라.

아무튼…
요즘 들어 티 나게 괴롭히기 시작해서 반 애들도 대부분 알고 있는 눈치인 것 같던데,
다들 무서워서 말을 못 하는 모양이더라고.
음….

나도 대처법을 잘 모르긴 하는데…
선생님께 상담받거나… 학교 폭력 신고 센터에 전화하거나?
아…….

왜?
…….

부모님께…
비밀로 할 수 있는 방법은 없겠지…?

그건…
어렵지 않을까…?
그치?
아~!!

말 못 할
사정이 있나?
우리 선에서
할 수 있는 건….

증거 수집이랑
동생을 보호하는
정도인 것 같은데.
부모님께
완전히 숨기기는
어려울 거야.
응….

골올

꼬르륵

일단…
밥 먹을까?
그래….

오늘
석식 뭐래?
김볶밥.

…괜찮냐?
…아니….

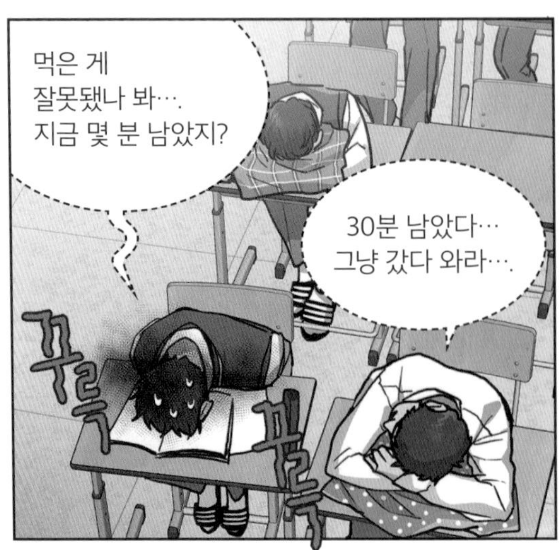

먹은 게 잘못됐나 봐…. 지금 몇 분 남았지?
30분 남았다… 그냥 갔다 와라….
꾸르륵
꾸르륵

가다가 걸리면 어떡해. ㅠㅠ
니 얼굴을 보면 그냥 보내줄걸.

콰르르르르르

…아….
살 것, 아니…
죽을 것 같다….
어쩐지 먹는데
느낌이
싸하더라니….
개복치 같은 위장…

그냥 야자 짼까?
배탈 났다고 하면
보내주려나.
쏴아아
엄마한테
전화해볼까….

쏴아아아아아…

꾹

은하….
진짜 어떡하지?

아버지한테 알리기
싫은 눈치인 것 같아서
선불리 일을 벌이기가
좀 그런데….
탈
탈
하지만
이대로 두고
볼 수만도
없어.

은하를 좀 더
설득해볼까.

아니면…
엄마한테 말하면
도와주실지도
몰라.
은하 아버지 모르게
해결할 수 있을지도….
하지만….

왜 숨겨야 하는지
설명해드려야
할 텐데….
대체 뭐라고
말해야 하지?
아까부터
선생님이
안 보이네….
만약에
일이 커져서…
혹시 이혼이라도
하게 된다면….

아니,
그러니까 더욱
말씀드려야 하는 거
아니야?
아버지가
은하를
홀대한다고….
좀 이상한
사람인 것
같다고….

하지만
그러면
…………
은하는 또
가족을 잃게
되는 건데….

아….
머리 터지겠다,
진짜.

?

두다다다다다다다

어떡하지?
선생님 불러?!
다다다
다다다
아니, 근데 그럼
백 퍼센트 집에
연락 갈 텐데?

…그럼, 가다가
선생님을 만나면
같이 가는 거고
다다다
아무도 안 만나면
일단 혼자 가는
걸로 하자.
다다다다

…근데 오늘따라
왜 복도에 아무도
없냐고~!
다다다다
다다다

스샤샤
샤샤샤
샤샥

다행이다,
갖고 왔다.

일단 가서
생각하자.
상황이
심각하면 바로
신고하는 거야!

어디로 갔지?!
분명
이쪽이었는데….

쨍그랑.

…유리 깨지는
소리?!

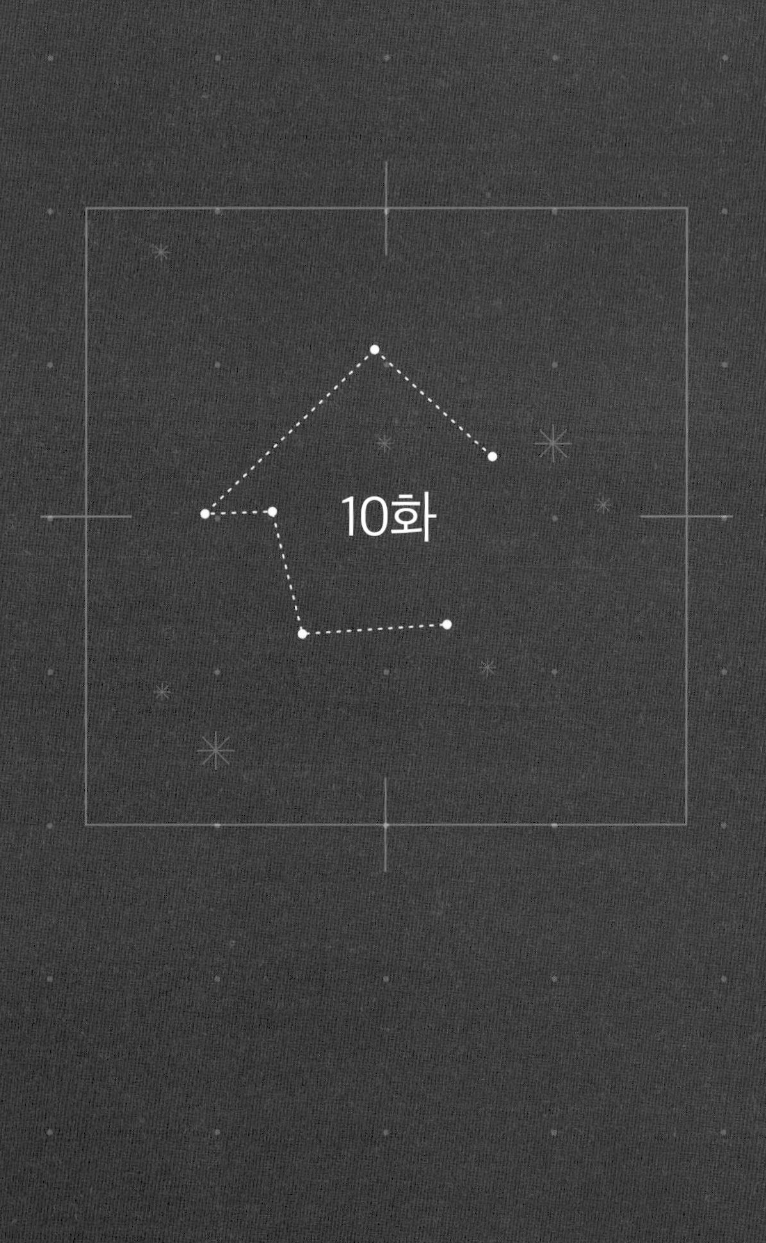

10화

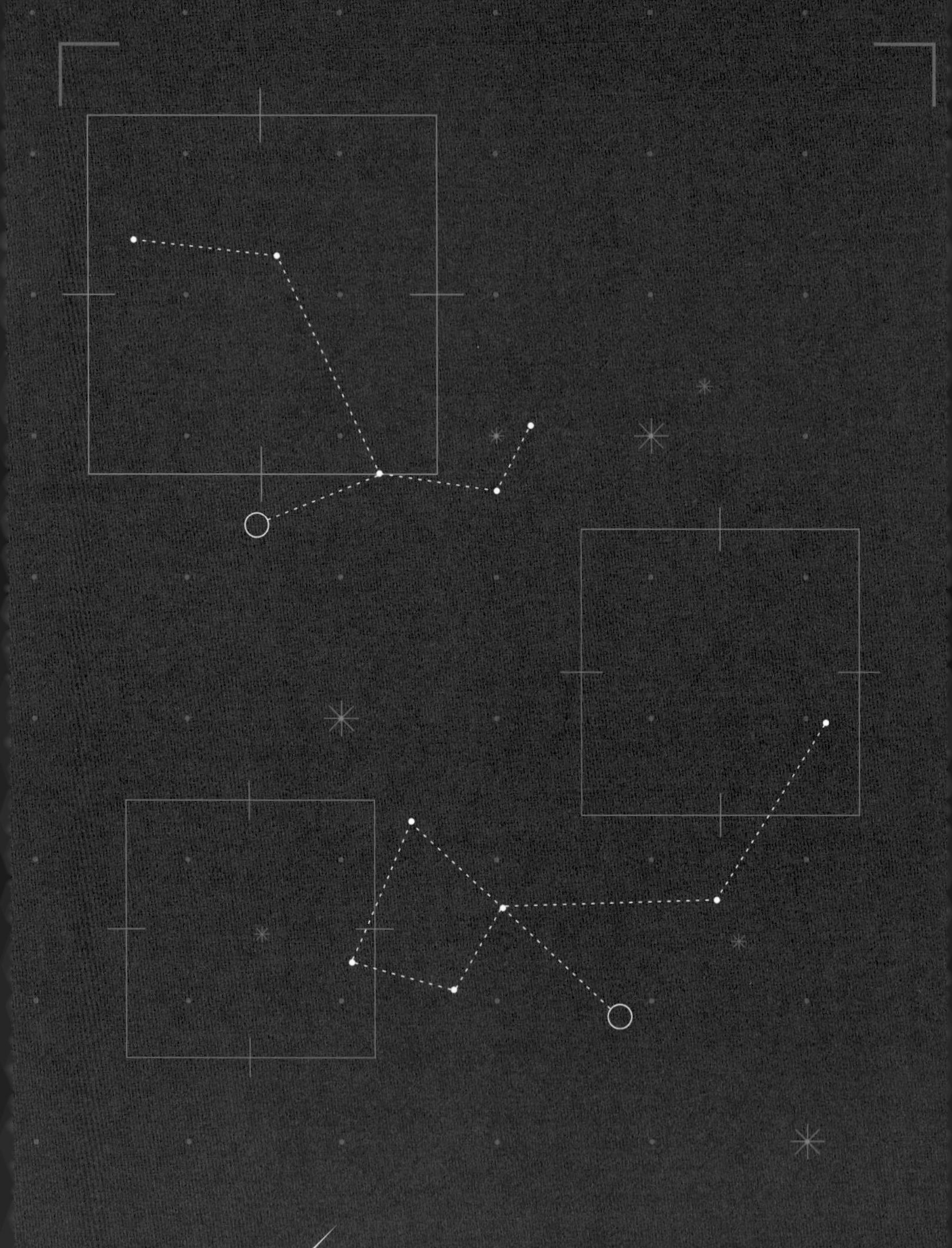

가족이 되는 방법

타닷

찾았다…!

어떡하지?
저러다 다치겠어.
물불 가릴 때가 아냐…. 빨리 신고해야 해.

경찰서에 신고하면 되나?
112… 112….

10화

하…
돌겠네.
이거 진짜
또라이 아니냐?

야.
대답 안 해?
툭
툭
쌩까?

하….
X나
빡치게 하네,
진짜.
휙
ㅋㅋ
야.

웃긴 거
보여줄까?
ㅋㅋㅋ
잘 봐봐.

퍽.
와장창

봤냐?
이 새끼 얼굴은
교묘하게 피해.
아, 미친ㅋㅋ
ㅋㅋㅋㅋ.
지가 보기에도
지 얼굴은 맞기에
아깝나?

…….

야, 잡아봐,
얼굴 잘 보이게.
얼ㅋㅋ.
스윽

야.
털썩

쥐새끼 잡아 왔다.
어?
뭔데.

!

뭐냐, 얘는?
이 앞에서
발견했어.

얘가 다 봤다는데
어떻게 해줄까?
번쩍
?!
일단 족쳐봐?

…경찰 불렀거든?
학교 계속
다니고 싶으면
이거 놔라.

통화 목록엔
없던데?
언제 연락
하셨나?
!

내…
폰은 언제….

응?
문자에도 없는데
언제 불렀어,
경찰을~.
…아. 망했네,
진짜.
이제 어쩌지….

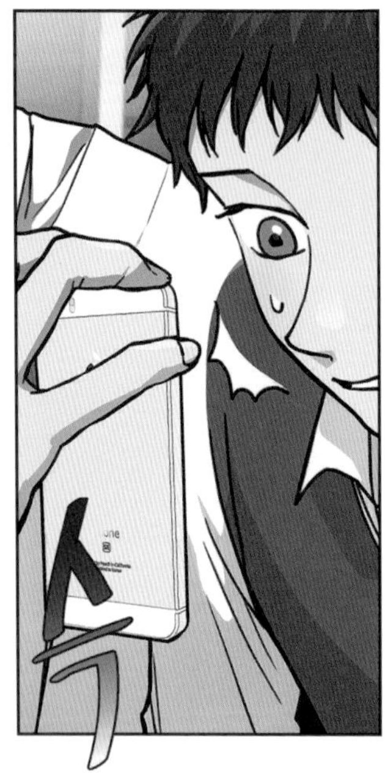

뻥인데.

콰당

자기 폰
잠금 해놓은 것도
까먹냐?
어쨌든
경찰 안 부른 거
알려줘서 고맙다~.
ㅋㅋ
ㅋㅋ
그래서
몇 학년 몇 반?

우리 친하게
지내자~.
상관없는 사람은
보내줘.

나한테 불만 있는 거
아니었어?
때릴 거면
나만 때리지.

얘… 뭐냐?

너네 아는 사이냐?

몰라.
모르는데 갑자기
왜 이래?
뭔 짓을 해도
가만히 있던 놈이.

그건 그냥
너네가 X 같아서
그런 거지.

아나…
이 새끼
진짜.

빠
악

퉤

빠악

빠악
퍽
퍼억

이게 뭐야?
나 때문에
은하가 더 맞잖아.

이대로는 안 돼.
내가 나서야
해….
꽈악
안 무서워, 용기를 내.
소리쳐!

야!!

너네…
내 동생…
때리지 마.

개X끼들아.

흐읍
사람 살려!!!!!!
여기요!!!

선생님!!!
사람 죽겠어요!!!
제발 도와주세요!!!

내 동생 죽겠어~!!!!!!

야, 뭐 해!
저 X끼 입 막아!
아오,
저 미친 X끼가!

아아악
아아아악
아아아아악!!
나 죽네!!
이 X놈이….
닥치라고!

콰악
으악!!

아, 진짜!
이 개X….
퍼억

쿵
와장창

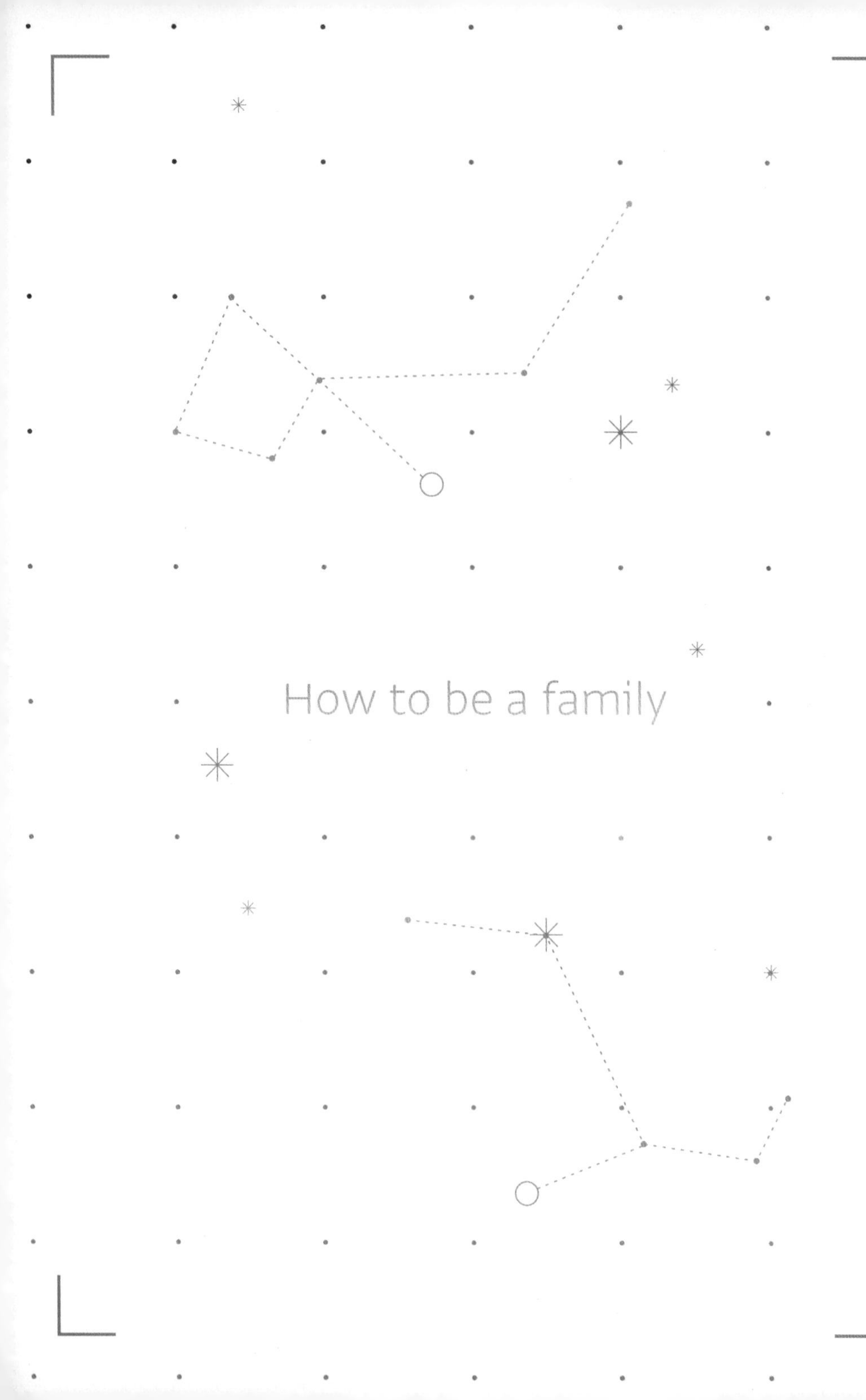

How to be a family

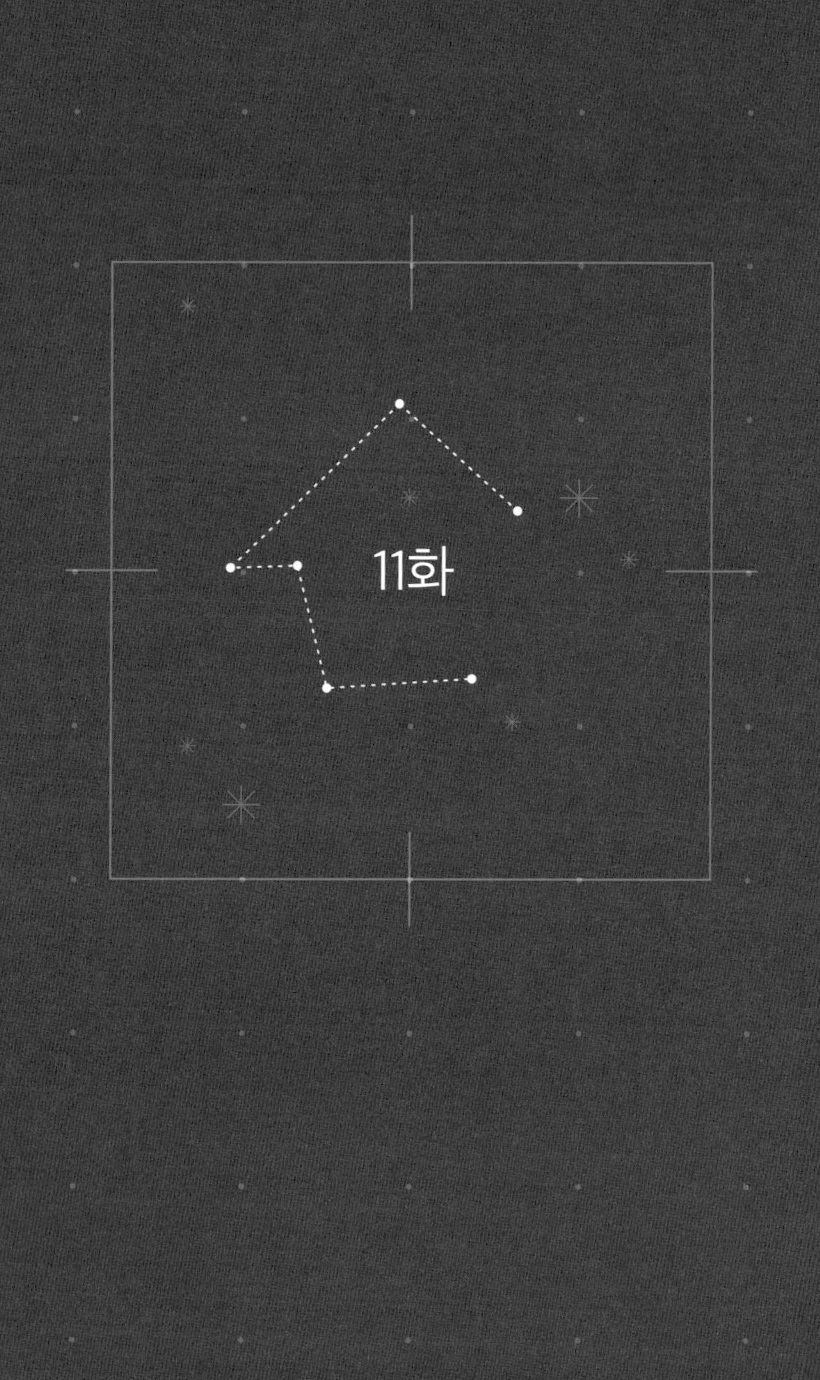

11화

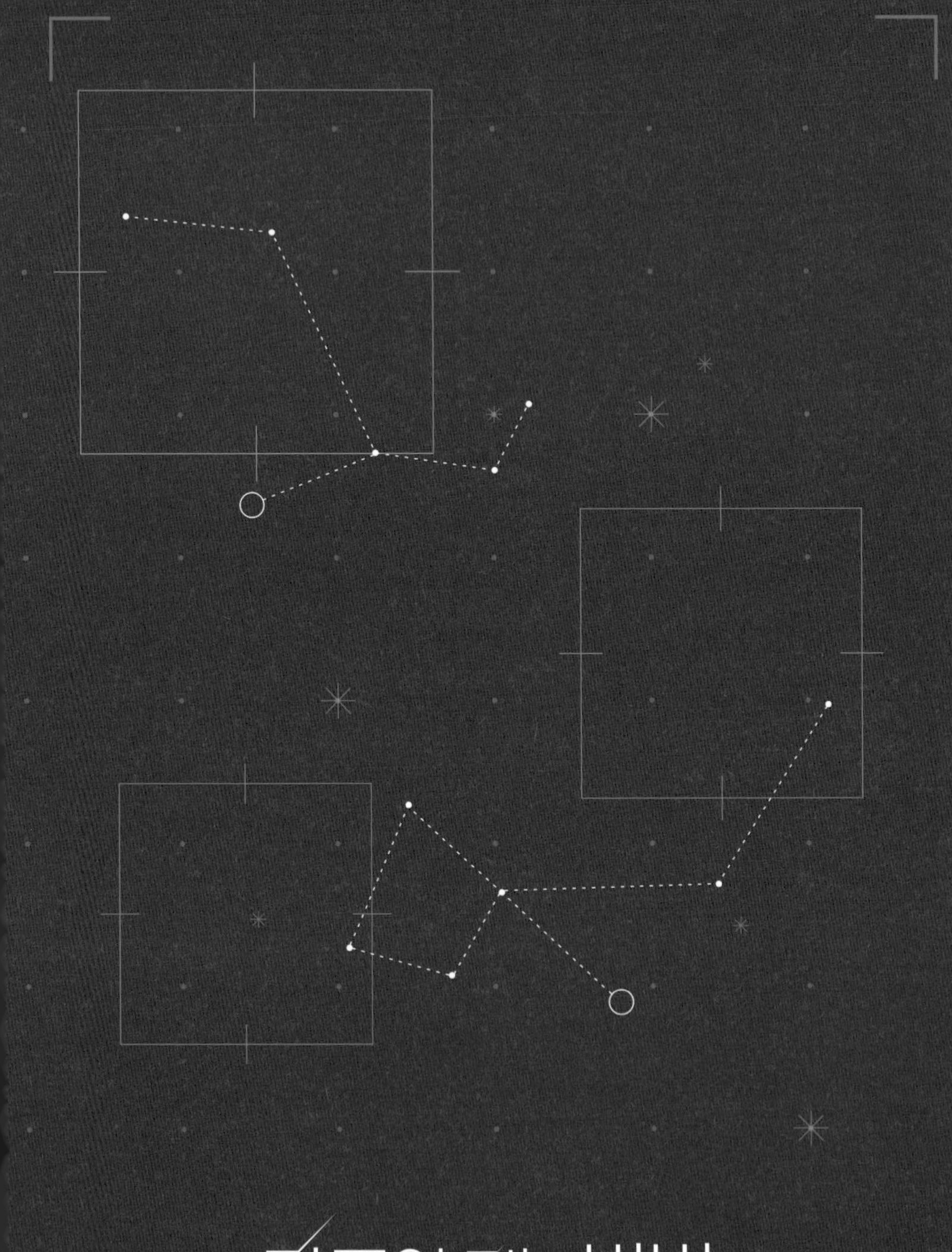

가족이 되는 방법

후두둑
어…….

X됐네,
아오….
후다닥
야, 튀어.
튀어!

어?
야, 너네 세 명,
거기서 뭐 해!
몇 학년 몇 반이야!
두다다다
거기
안 서?!
어?
어??

서…
설 수 있겠어,
형?
일단 거기서
나와서….

후두둑
!!

아… 안 돼,
유리 조각이
너무 많아서…
움직이다가
오히려 더
다치겠어….
그대로 가만히,
움직이지 말고….

바로
구급차를
부를게.
괜찮아,
괜찮을 거야,
형….

괜찮아.
괜찮아….

두근
두근
두근

울렁
울렁
울렁

나 괜찮아,
은하야.
상처도
보기보단
안 심해.

침착해.
알겠지?
침착해야 해.

여보세요?
네… 여기 사람이
유리 조각에 찔려
큰 상처가 났어요.
여기 ○○고등학교
후문 바로 옆에 있는
분리수거소….
어…
깨진 유리 조각
더미 위에
쓰러졌어요.
피가 많이 나는 것 같은데
옷으로 지혈을 해도
괜찮을까요?

네, 아… 유리 조각이
더 깊이 박힐 수도 있다고요….
아, 압박하지 말고
살짝 대고 있으면 되나요?
네, 알겠습니다…
가능한 한 빨리
와주세요, 네….
헉
헉
헉

형, 지금 바로
구급차가 올 거야.
몇 분이면 된대,
조금만 참아….
은하야….

네 탓…
아닌 거
알지?

부모님에겐 내가
잘 말할게,
너 때문에
이렇게 된 거
아니라고.
아버지 일은
아무 걱정하지 마….
알겠지?

너희들,
거기서 뭘….
세상에,
무슨 일이니?!

선생님,
이리 와봐요.
여기 학생이….
……!
…….

11화

어…….

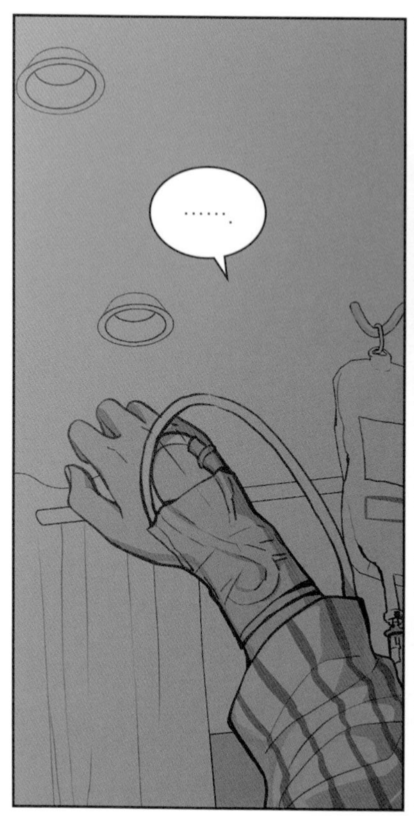
……

맞다…
나 수술하고
입원했지.
후…
어떻게 살긴
살았구나….

……

진짜…….
어떻게 살긴
살았다…….

지금
몇 시지?
그 후에
어떻게 된 거….

형…….
화들짝
우와악!!

믐ㅁㅁ믐뭐야,
은하야?
너넌너너넌너
왜 그러고 있어….
벌렁
벌렁

내가 여기
있겠다고 했어….
어머니는…
집에 필요한 거
챙기러 가셔서
내일 오실 거야….
어…
응….

화악
그럼
눈이라도 좀 붙이고 있지,
어둠 속에서 뭐 하는
거야?
시커먼 게
침대 옆에 있어서
깜짝 놀랐잖….

형….

괜찮아?
많이 아파?
목 안 말라?
물 가져다줄까?
뚝
뚝
아니…
괜찮아….
물은 나보다
네가 더 마셔야
할 것 같아….

주르륵
깜짝

나
진짜로 괜찮아.
그만 울어.
미안해,
형….
전부
나 때문이야,
전부….

뭐?
그게
왜 너 때문이야,
잘못한 건
그 자식들이….
내가…
형을 시험하고 싶어서
일부러 찍힌 거야….

시….
뭐?
너무….

알고 싶었어.
형이… 정말로 믿어도 될 사람인지….
문제가 커져서 아버지에게 들킬까 봐 걱정됐지만…
그것보다도 형이 어떤 사람인지 알고 싶은 마음을 주체할 수 없어서….

어…
음?
그…랬구나…. 그럼….

걔들이랑…
짜고 친 거야? 가짜로 맞았어?
연기 잘하네….
아니야!

그놈들은 예전부터 치우려고 했었어.
같이 다녀서 좋은 점이 조금도 없었기 때문에….

떨어트릴 구실을
만들기 위해
자진해서 찍힌 것
뿐이야.
뭐?
그럼 일부러
맞으려고 그랬단
말이야?

반 애들 몇 명이
이미 당하고 있었기
때문에…
그냥 내가
직접 찍히는 게
효율이 높았거든….
효……
아니,
다른 방법도
많았을 텐데
왜 굳이?

…그냥, 정말로
알고 싶었어.
내가 괴로울 때,
형이 어떻게 할지…
날
못 본 척하지는
않을지….

형은 진심으로
날 위해줬는데,
난 형을
떠볼 생각이나
하고…
난 정말….

후유…

날 떠보려고 한 건
솔직히 황당하지만
이제 이러지 마.
네가 다치지 않았으면
좋겠으니까.

굳이
그러지 않았어도
난 너랑 가족이야.
알지?

응.
미안해.
미안해, 형.
욱씬

뭐지…….

이게 무슨
기분이지…?

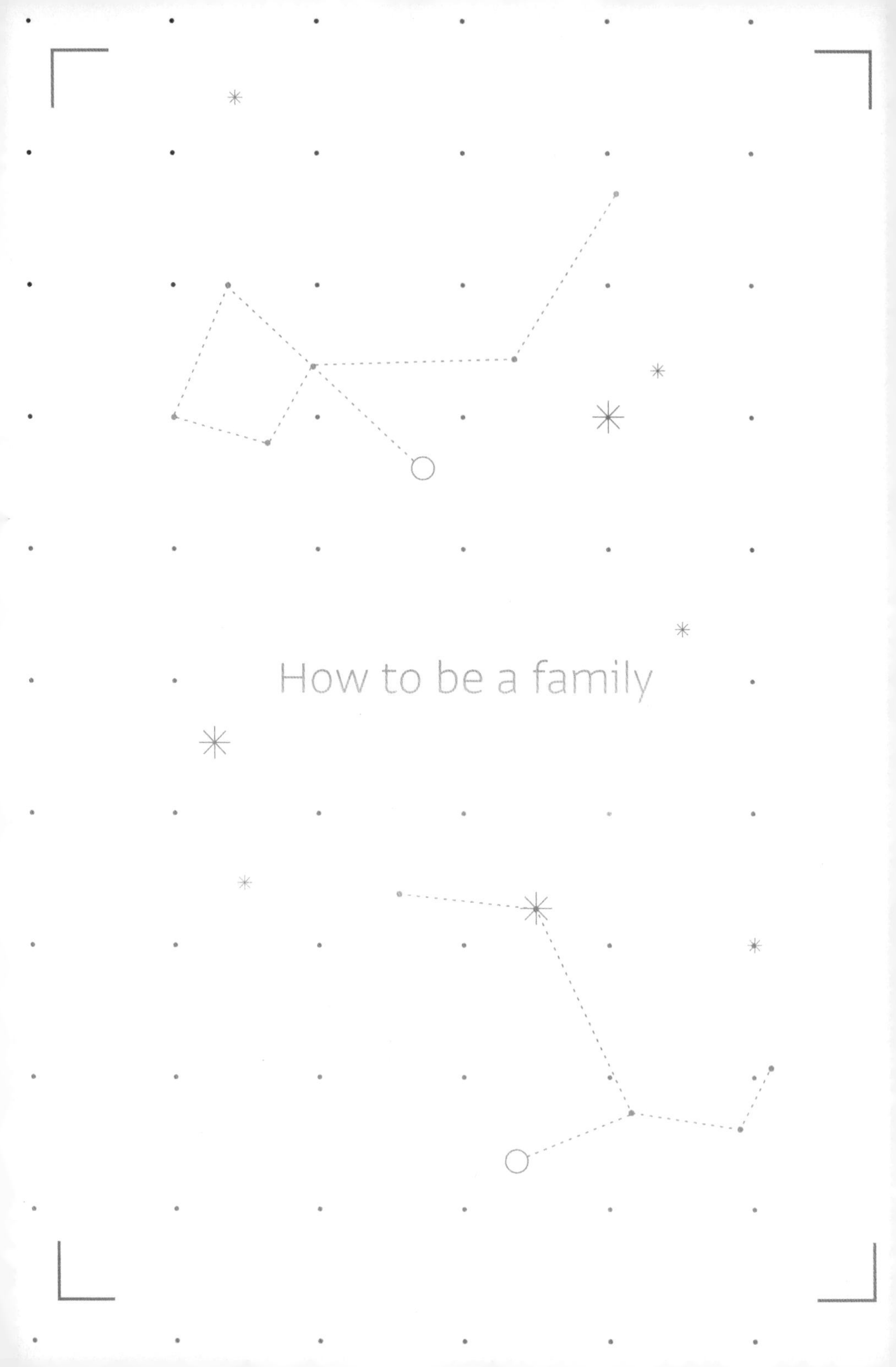

How to be a family

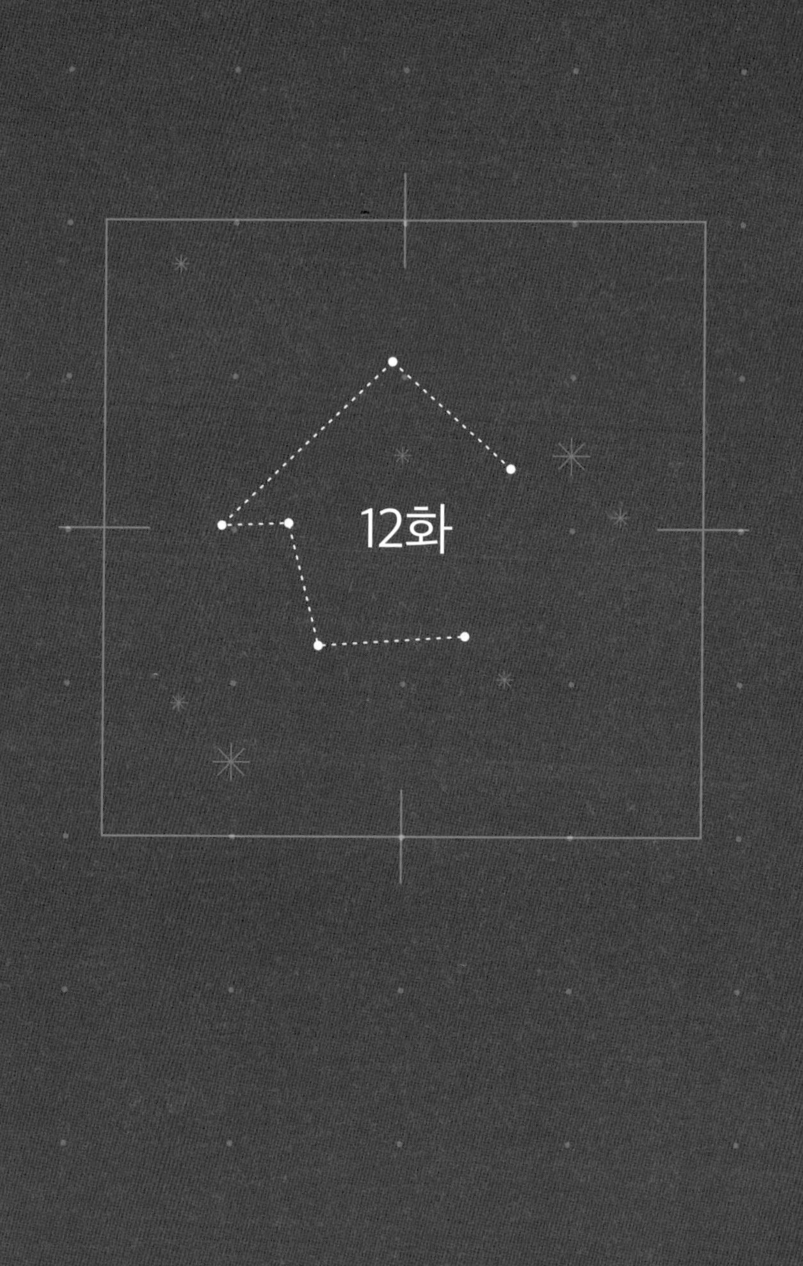

12화

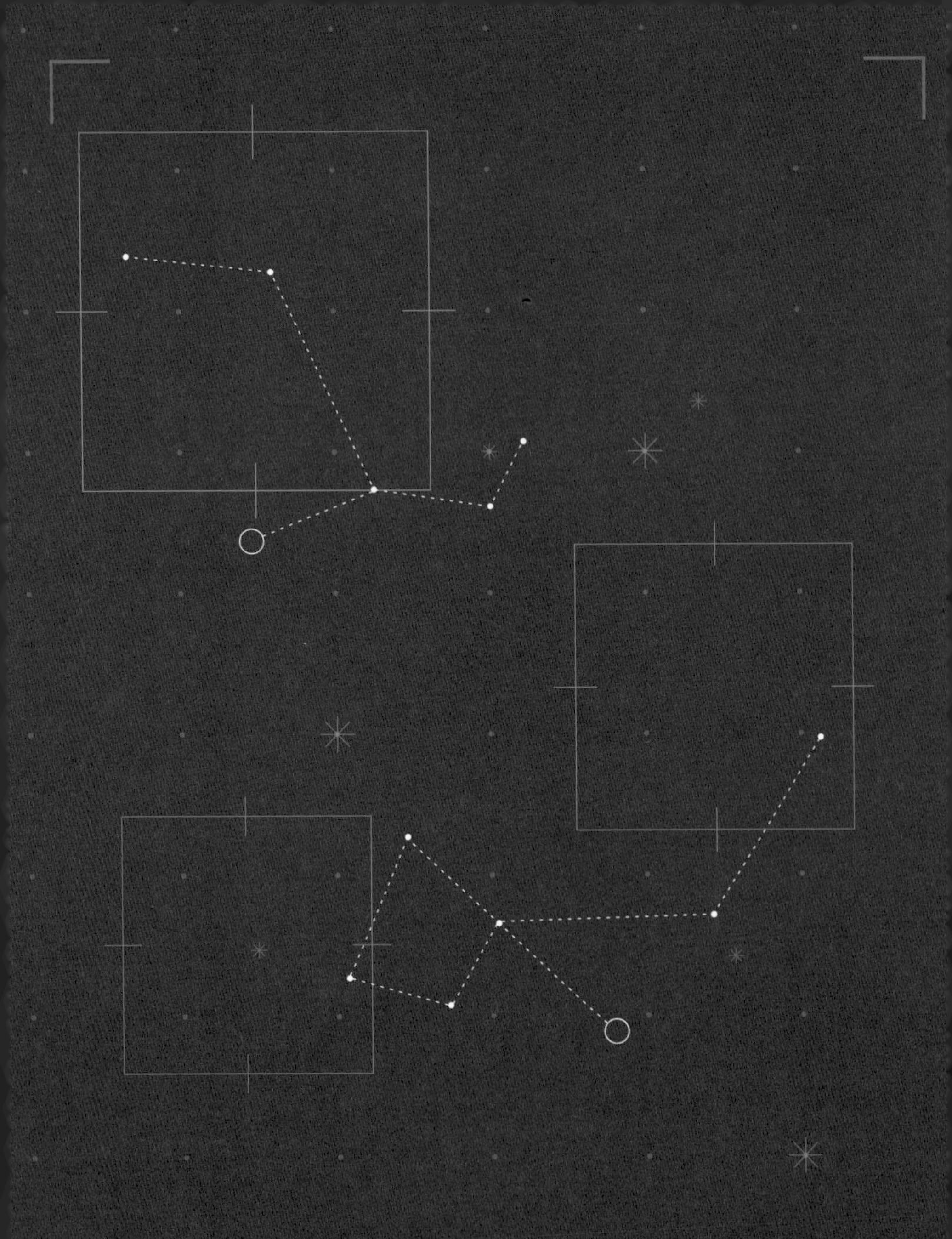

가족이 되는 방법

그 후로, 은하가
지속적인 괴롭힘을
당했다는 정황이
확인되자
그 세 명은
퇴학과 강제 전학
처분을 받게
되었다.
중학생 때부터 문제가
많았던 사람들이라서
그랬는지, 아니면
내가 입은 상처 때문인지는
모르겠지만
생각보다
빠른 처분이었다.

운좋은 메디컬센터

너 진짜….
신도연!

대체!
왜!
연락을 안 받아!!
걱정했잖아!
콰
미안해!
완전 미안해!
진짜 너무
정신없어서
그랬어.

정말 얼마나
걱정했는데….
학교에 온갖 소문이
다 도는데, 너는 연락이
안 되고….
그랬어…?
내가 신경을
못 썼다.

당연한 거 아니야?
반 애들도 얼마나
걱정하고 있는데.
미안해, 진짜로.
응? 내가 잘못했어.

화내는 거 아니야.
걱정해서 그렇지….
생각보다
괜찮은 것
같아서 정말
다행이다.

많이 힘들었을 텐데…
정말 고생했어.
뭐 하나
도와준 게 없어
정말 미안하네.
성훈아….
찌잉…

이 착한 것….
역시 너밖에 없다.
ㅠㅠ
사각
사각
사각
연락은
까먹었으면서?

미안하다니까
진짜로ㅠㅠ
말로만?
라면이랑 떡볶이.
사각
야, 환자를
뜯어먹으려고….
사각

사과 먹어, 형.
스윽
아, 맞다.

둘이
제대로 보는 건
처음이지?
꾸벅
꾸벅
이미
알고 있겠지만…
은하야,
얘가 성훈이야.

그리고 얘가
내 동생 은하.
!
성훈이 너도
이미 봐서 알고 있지?

발그레

?
응… 알지.
사각

다행이다,
그 자식들이
징계 먹어서.
도연이가 네 걱정
많이 했거든….

아…
그랬구나.

그렇다니까?
자꾸 어디로
사라지나 했더니
너 걱정된다고
너네 교실에 계속
찾아가서….
으악
야!
그걸 왜 얘기해!

형…
그랬었어?
어?
아니…
그게… 그…
걱정돼서….

너… 죽는다, 진짜.
내가 퇴원만 하면….
왜?
미담인데.
ㅋㅋㅋ

미담은 무슨….
너라면 몰래 보러 간 게
들켰는데 안 쪽팔리냐?
아삭
아삭
아… 떳떳하지
못한 거였어?
그건 몰랐지.

아니라고!
아니긴 한데!
아니… 아, 진짜!
내가 뭐랬냐?
네가 말해놓곤.
ㅋㅋ
ㅋㅋㅋ

아, 옆구리 땡겨….
상처 벌어지면 너 때문이다.
그니까 내가 뭘?
ㅋㅋㅋ

쒸익
하, 웃기다….
쒸익

아, 맞다.
부모님은 뭐라셔?
별일 없었어?

어….
너 걱정 많이 했잖아.
그 왜, 학교 폭력 때문에
고민했을 때
부모님께
비밀로 할 수 있는
방법 없을까 하고
얘기했던 거.
…!!

어…
음….
괜찮았어?
그래도 혼나지는
않았지?
어…
그렇지, 뭐….

형.
곧 면회 시간
끝나.
아.

내가 너무
오래 있었네.
다음에
또 올게.
아냐,
금방 퇴원하니까
학교에서 보자.
그래?
생각보다 짧게
입원하네.

좋아,
학교에서
보자.
연락할게!

타악

…있잖아….
오해할까 봐 그러는데.

나… 네 얘기 성훈이한테 다 한 거 아니야.
응?

그냥 네가 걱정됐고… 부모님께 어떻게 비밀로 할 수 있을까 거기까지만….
정말로 네 개인적인 얘기 함부로 하고 다닌 거 아니야.
그리고… 교실에 몰래 찾아간 건 정말 미안해….
아냐, 형.
나 그런 생각 안 했어.

아무 생각 없었으니까 걱정하지 마. 응?
아… 신경 안 쓴다니 그럼 다행이고.

하…….

…….
……저….
꾹…

은하야,
별일… 없었어?
응?

아버지랑….

아무 말씀 없던데.

………아직도?

어떻게…
아들이 학교에서
폭력을 당했다는데
아무 말도 없을 수가 있어?
걱정하는 게
당연한 거 아냐?
어떻게
사람이 그래?

형.

미안해, 아버지
나쁘게 말하는 거
싫어하는 거
아는데….
…….

…다 나 때문이야.
내가 잘 말하겠다고
호언장담까지 해놓고….
정작 일이 닥치니까
아무것도 못 해주고
있다니….

…….
형.

그런 걸
신경 쓰고 있었어?
나 정말 괜찮아.
아버지 반응은
대충 예상했는걸.
그리고 형은
아버지랑 얘기할
기회조차 없었는데 뭐.
어쩔 수 없지.

난 그냥… 형이 다쳐서
비몽사몽하는
와중에도 날
생각해줬다는 게…
그게
너무 좋았는걸.

…괜찮을 리가 있냐.
아버지에 대해 푸념 하나도
안 하는 네가, 이런 식으로
얘기하는 것부터가….
설령 내가
안 괜찮다고 해도,
형 탓은 아니지.
내가
형한테 잘못한 거잖아.
형은 말려든 거고.
잊었어?

응?

알았어…
힘들면 바로
얘기하기야.
응!

착해...
형,
그보다….

성훈이 형이랑
많이 친해?

친하지. 왜?
?
그냥….

생각보다…
서로 많이 알고…
속 얘기도 많이
하는구나….
싶어서.

나… 나 진짜로
네 얘기 안 했어.
정말이야.
?
하하, 아니.
의심 안 한다니까.
그런 얘기가
아니라…
그냥…
울렁
질투 나서?

야, 네가 말하면
농담 같지 않은 거
알지.
그래?

아, 진짜….
울렁
울렁
울렁
농담인 거
아는데,
이상해.

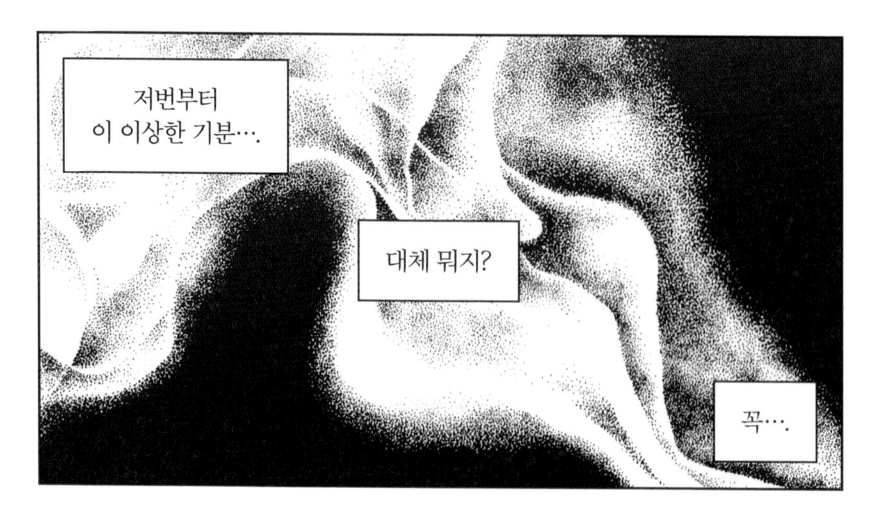
저번부터
이 이상한 기분….
대체 뭐지?
꼭….

뱃속에서
이상한 게
퍼지는 느낌?
지이잉
지잉
심장 부근이…
조이는 듯한

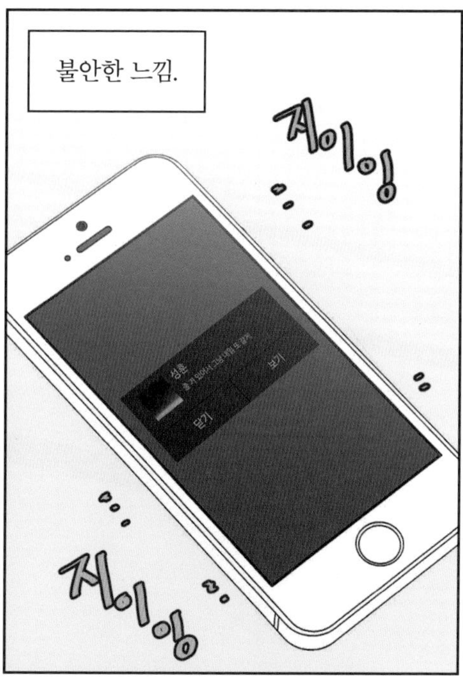
불안한 느낌.
지이잉
닫기
보기
지이잉

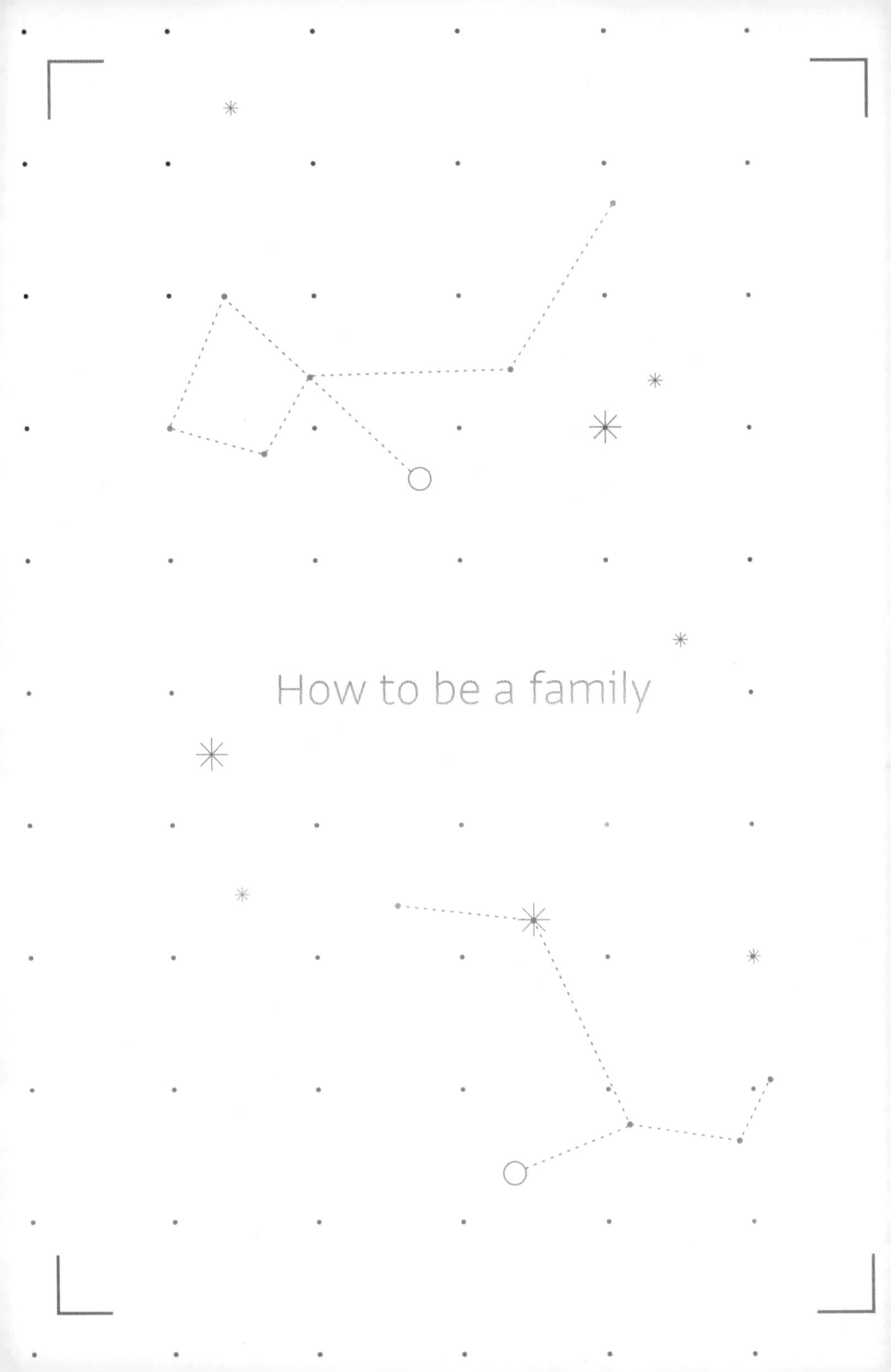

How to be a family

13화

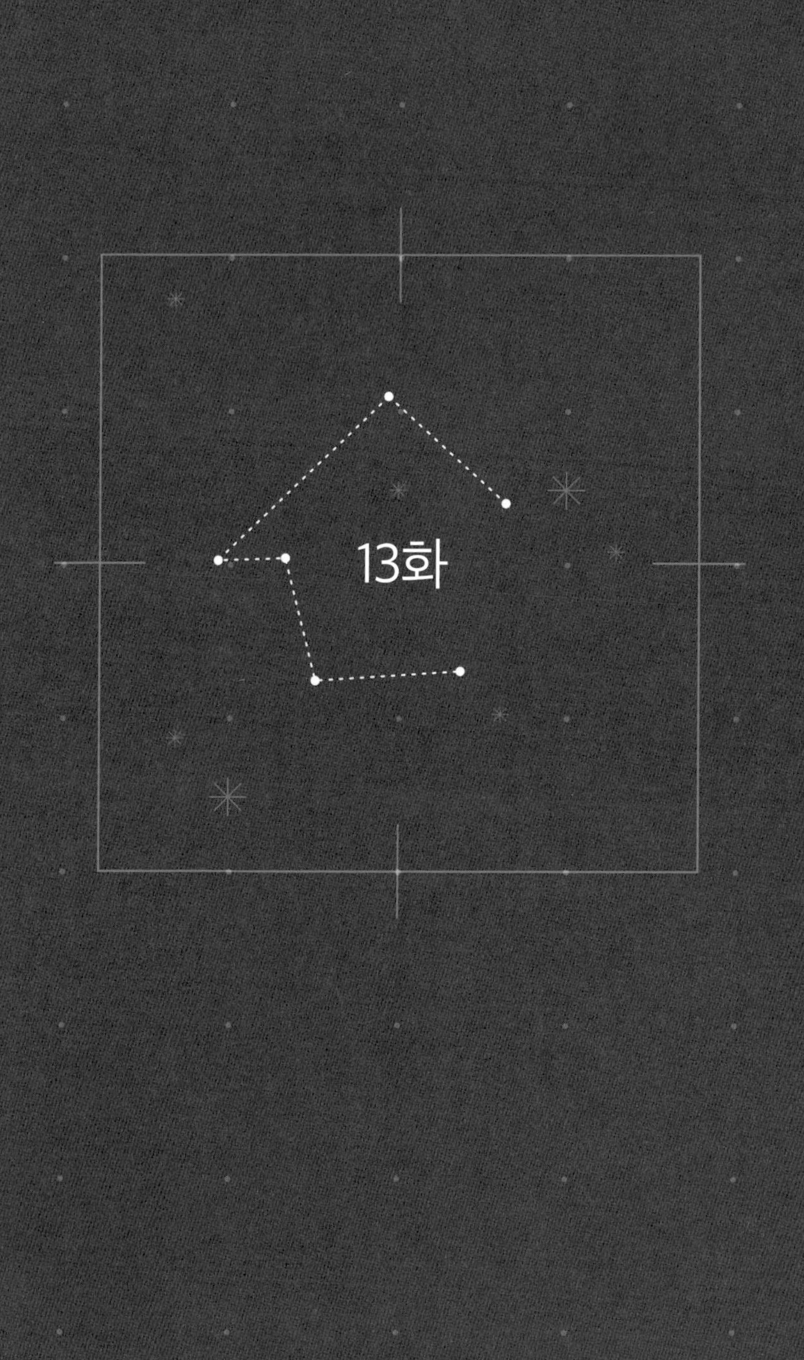

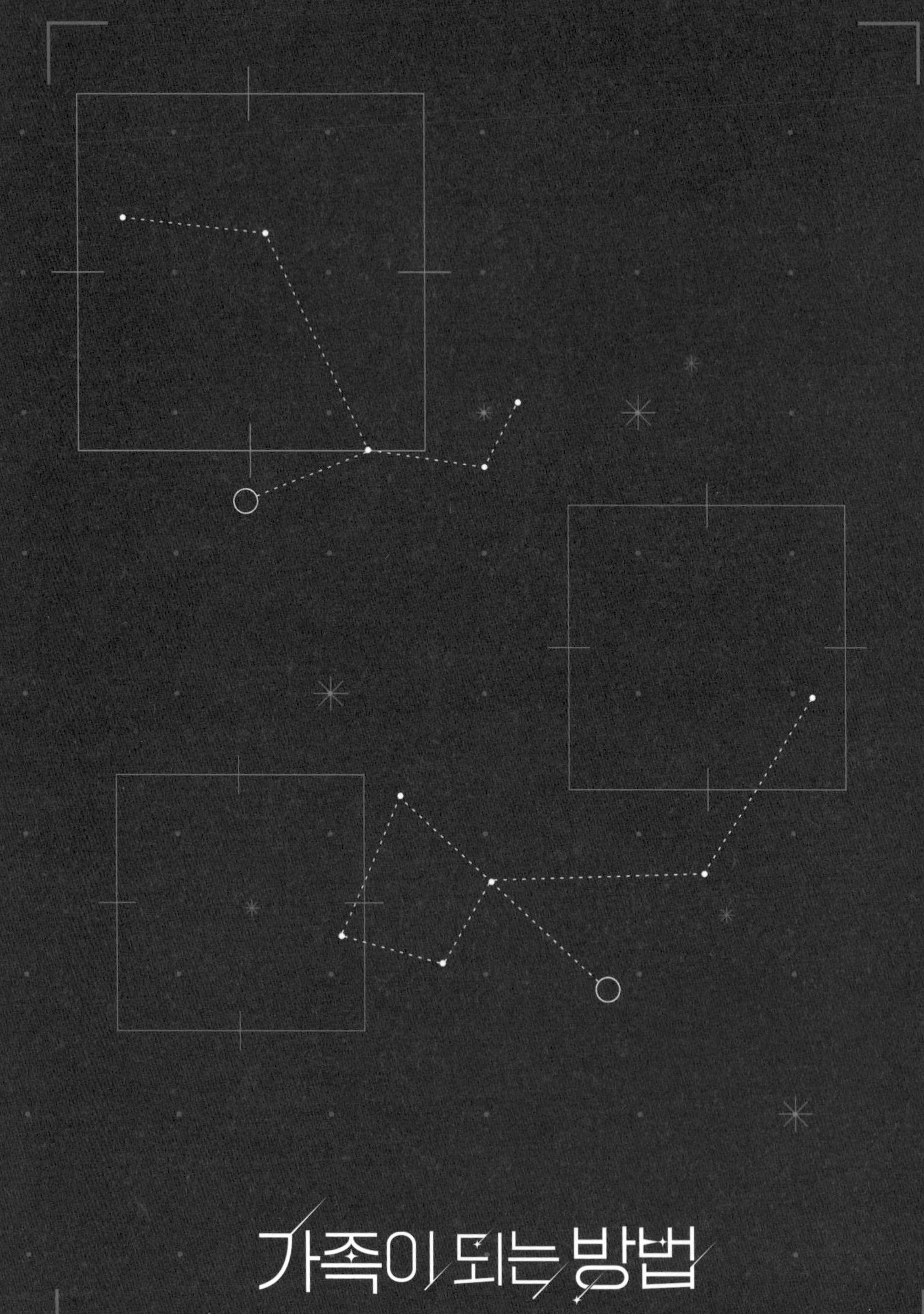
가족이 되는 방법

매앰—
매앰—
매앰
사각
매앰
사각
매앰
매앰
매앰
매앰
매앰—

삐리리리리…
좋아~ 끝!
털썩
으아아아아아….

그럼 20분 쉬고
다음으로 넘어가자!
억….

방학식 날
열정이 넘치는
도연의 모습.
좀만 쉬었다 하자….
요즘 열심히 했잖아.
응?
하지만 형이….

학원 특강 안 듣겠어.
체력만 떨어져.

집에서 과외 받고
남은 시간은 자습할래.
이글
이글
그래도
해이하게 하진
않을 거야.

수능에 맞춘
생활 패턴으로 바꿔주겠어!
…라고 했잖아.
우엉….

하다못해
휴대폰이라도
보게 해주라….
카톡이라도….
안 되죠~.
수능 때 휴대폰
쓰는 사람 봤어?
끝날 때까지
압수야.
ㅠㅠ
그 일이
있고 난 후

우리는 매일같이
찰싹 붙어 지냈다.

공부도
함께 해.
밥도
함께 먹어.
놀기도
함께 놀아….

은하는 사람이
바뀐 것 마냥
나를 따랐다.
은하인증
인증 완료
됐나 봐….

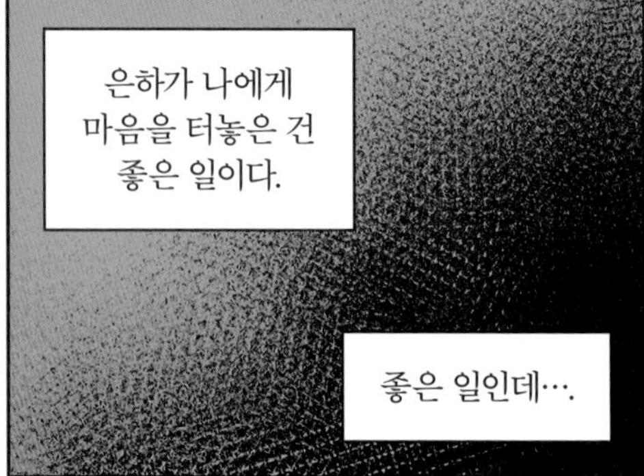
은하가 나에게
마음을 터놓은 건
좋은 일이다.
좋은 일인데….

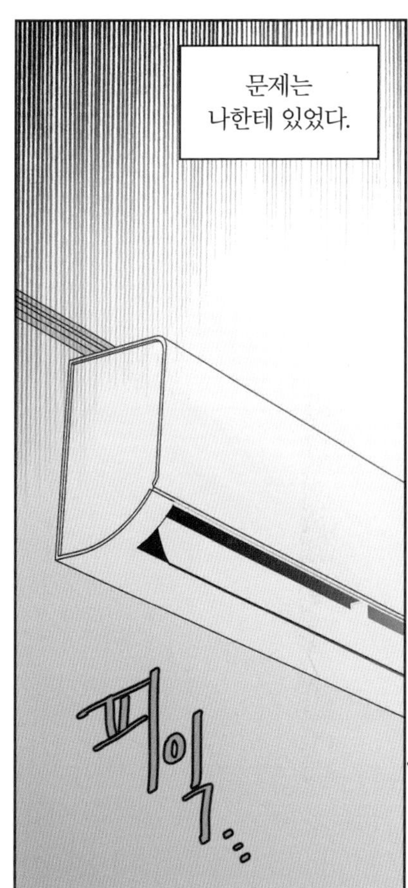
문제는
나한테 있었다.
삐익…

어?

뭐야,
에어컨 왜 이래?
꾹
꾹
어?

엄마에게 도움 요청
아~ 고장 났네.
거실 에어컨도
딱 그랬거든.
오래돼서 그래.
바꿀 때가 됐지….

당분간
은하 방에서 자라.

당분간?
날씨가 더워서
기사님 불러도
바로 못 오셔.
수리하든 교체를 하든
몇 주는 기다려야 해.

엄마가 일단
연락해둘게.
은하 방에서 자라.
알았지?
뚝
네⋯.

⋯어떡하지.

어떡하지⋯.

이러니까 꼭
여행 온 것 같다.

형, 게임
할래?
카드 게임?

바닥은
안 딱딱해?
형이 침대에서
잘래?

과자 먹을까?
형 좋아하는 거
사다뒀어.
아주
신났구나….

감자 칩이냐
초코볼이냐…
흠…

형이랑 종일
같이 있으니까
정말 좋다.

…넌
말을 너무
간지럽게 해.

그래?
보통 형제끼리는
그런 말 잘…
안 하지 않나…?
그런가?

형제가
있어 본 적이 없다.
마찬가지로
없다.

이상해?
아니, 아니,
이상할 것까지는
없고.

형이 싫으면
안 할게.
싫은 거까진
아니고!

어…
원 카드 하자,
원 카드!
나 원 카드
완전 좋아해!

하아….

요즘 진짜
이상해.
은하는
좋은 앤데,
자꾸 기분이 좀….

구체적으로
말하자면
이상한 불쾌감?
아니,
두려움…?

JOKER
나, 은하가
싫은 건가?

은하는 나한테
잘해주는데.
은하는 나밖에
없을 텐데….

그런데 난
껄끄러워하기나
하고….
나란 인간은….

은하야, 자?
아니, 왜?

어디 놀러 가고
싶은 데 있어?
응?

공부 도와준 게
고마워서…
수능 끝나면
어디든 놀러 가자고.
정말?

음
음음

음…
기차 타고 싶어.
기차?
어디 가고 싶은데?

아무 데나 상관없는데…
그냥 기차만 탈 수 있으면.
기차 타는 거 좋아해?
응….

그럼 기차 타고 빵이나 먹으러 갈까? 대전에 유명한 빵집 있잖아.
아니면 부산에 바다 보러 가든가.
좋아!

고마워….
형이 제일이야.

그런 말 들을
자격이 없어.

미안해.

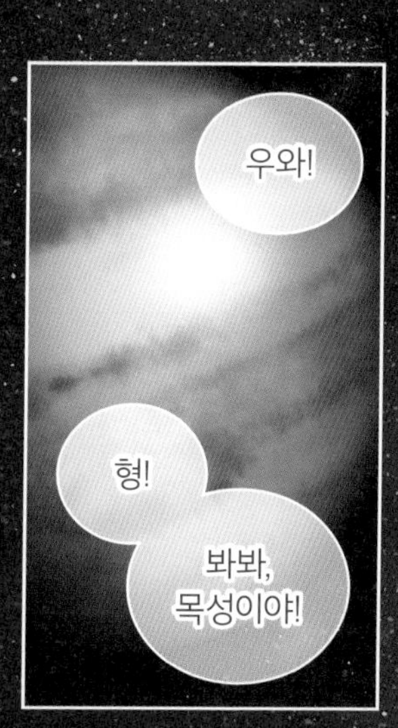

미안해….

정말 이런 광경을
볼 수 있다니…
형이 최고야.
형밖에 없어!

아니야….
나는
나쁜 인간이야.

나는 너를
목성에 버리고
갈 거야.
정말
미안해.

미안해, 은하야.
미안해.

미안해….

헉

…어…
꿈….

……뭔…
꿈이…….
은하+기차라서?
이상한
생각하다가 자니까
꿈도 이상한 걸
꾸네.

어?

은하?

텁
흠칫
스윽
두근
두근
두근
두근
두근

파
악

?!
형?

형, 나 때문에
깼어?
두근
두근
미안해.
자는데….
두근

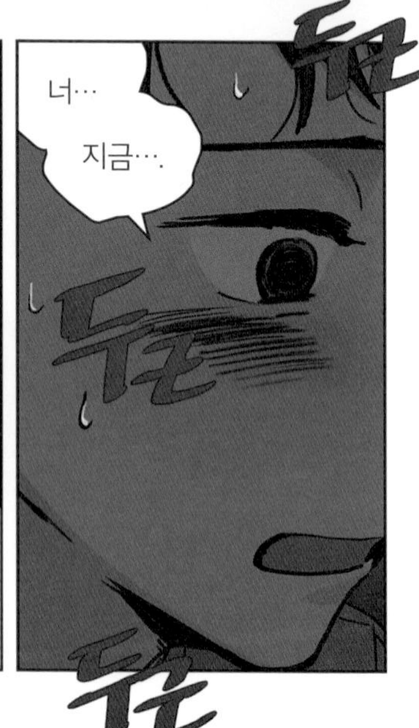
두근
너…
지금….
두근
두근

미안해 형,
내가 뭐 했어?
어디 밟았어?
휴대폰
찾으려고 했는데
너무 어두워서
잘 안 보였어….

……아냐,
아무것도…
아무것도 아냐.

형… 정말로
안 다쳤지?

알겠어.
대체 무슨
기분이었는지.

은하한테
자꾸
감정이 생겨.

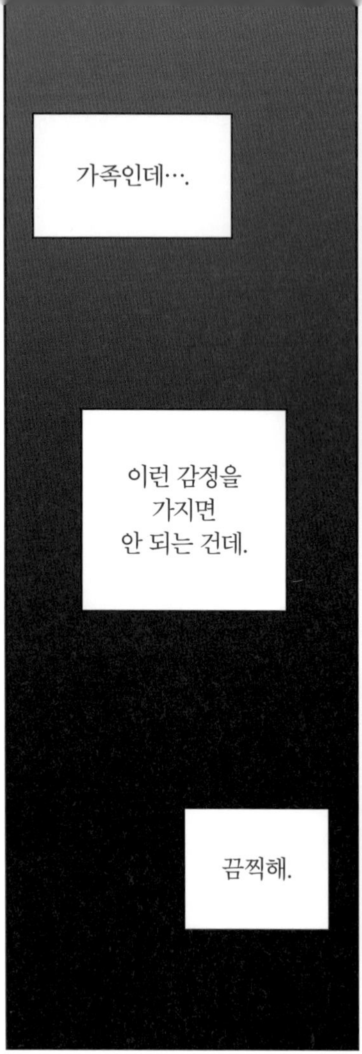

가족인데….

이런 감정을
가지면
안 되는 건데.

끔찍해.

그래서 그렇게
무서운 기분이
드는 거였어….

다음 권에 계속